塑造中国孩子一生的

365夜 A卷

注音彩图版

故事大王

365夜丛书编委会 编

上海科学普及出版社

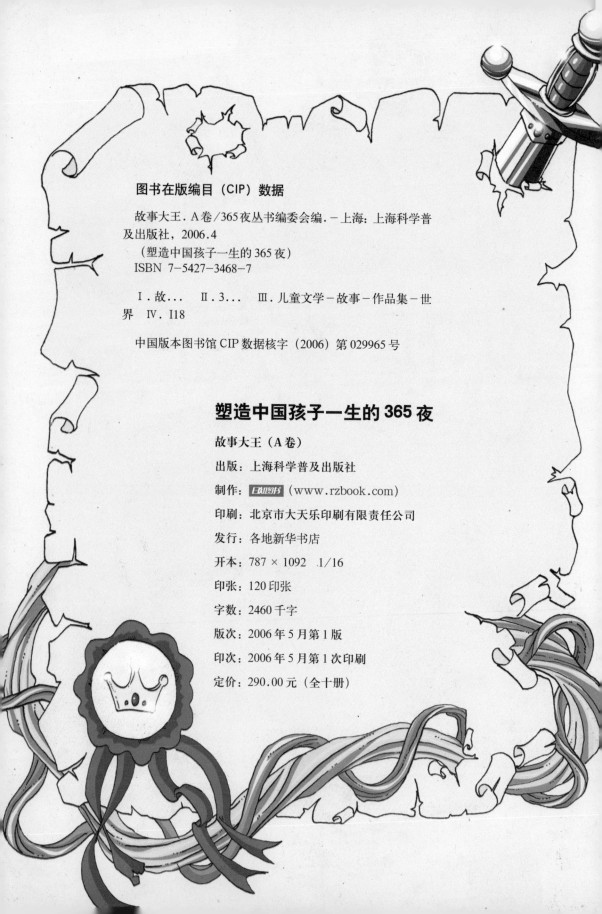

图书在版编目（CIP）数据

故事大王. A卷/365夜丛书编委会编. －上海：上海科学普及出版社，2006.4
（塑造中国孩子一生的365夜）
ISBN 7-5427-3468-7

Ⅰ. 故...　Ⅱ. 3...　Ⅲ. 儿童文学－故事－作品集－世界　Ⅳ. I18

中国版本图书馆 CIP 数据核字（2006）第 029965 号

塑造中国孩子一生的 365 夜

故事大王（A卷）

出版：上海科学普及出版社

制作：日知图书（www.rzbook.com）

印刷：北京市大天乐印刷有限责任公司

发行：各地新华书店

开本：787 × 1092　1/16

印张：120 印张

字数：2460 千字

版次：2006 年 5 月第 1 版

印次：2006 年 5 月第 1 次印刷

定价：290.00 元（全十册）

前　言

　　故事是童年时代的最爱，曾经给我们的成长带来无限的快乐，当我们还没有走入这个社会，所有的触角都未张开的时候，故事是满足我们好奇心和求知欲最好的法宝，人生的羽翼在故事中渐渐丰满。中外经典故事中妙趣横生的情节，以及深刻隽永的哲理，潜移默化地影响着我们日后的做人与做事。相信经典的故事一定会给五光十色的童年增添一抹色彩。

　　此次推出的《塑造中国孩子一生的365夜故事大王》，汇集了200余个中外经典故事，既有盘古开天辟地、后羿射日、上帝创造世界、神奇的诺亚方舟等中外神话传说故事，又有瞒天过海、金蝉脱壳、班超出使西域、勾践灭吴、晏子使楚、蔺相如完璧归赵、蓝宝石案、警察与小偷等中外智慧计谋故事，还有孟姜女哭长城、木兰从军、武松打虎等中国民间故事……生动活泼、有的放矢的描述，从多种角度折射了中外文明的辉煌。

　　这是一些可以赋予当代儿童丰富内涵的古老故事，这里蕴含着一些永远不会失去意义的人生哲理。编者相信，新鲜的编撰方式必将给予这些经典故事以新的生命，透过注音版的故事情节和全彩精美的图画，诠释出小故事中隐喻的大智慧，促进当代儿童的茁壮成长，让古典与现代一脉相承，让我们的孩子在阅读过程中既能得到文学艺术的熏陶，又能受到心灵的启迪。

　　人因为有了记忆才会有所忘却，但留于心底的常常是最美好的事物。记忆中那些美好的故事，曾经深深地打动过多少喜悦的、纯洁的以及忧郁的心灵，成为人们成长中不可或缺的元素。让我们走入经典，在智慧里徜徉，把这最初的故事、最初的快乐和感动留给成长中的孩子们。

目 录

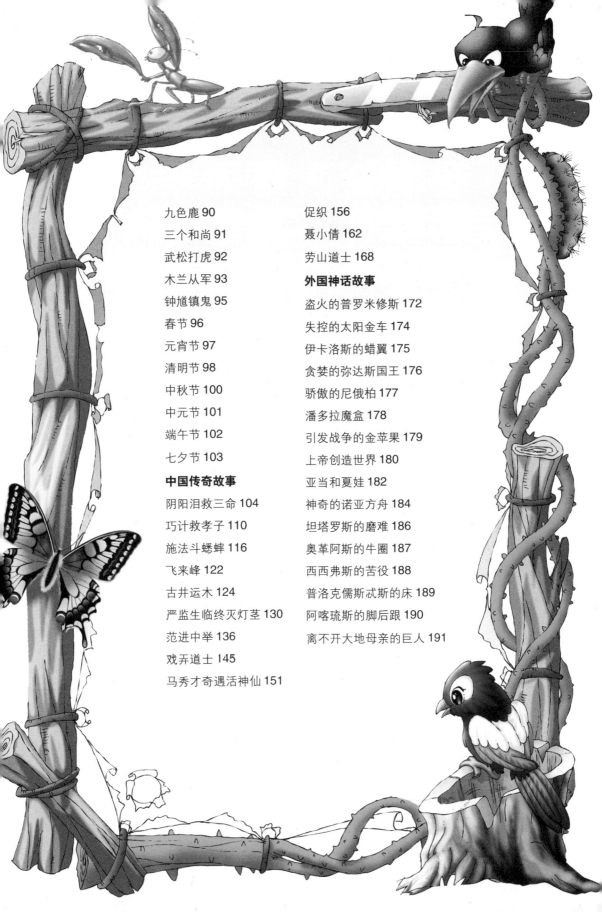

pán gǔ kāi tiān pì dì
盘古开天辟地

很久以前，没有天，也没有地。宇宙就像个巨大的鸡蛋，里面黑漆漆的，外面的蛋壳像石头一样坚硬。这个大鸡蛋不孵小鸡，却孕育着人类的祖先——盘古。

盘古在大鸡蛋里面生长着，转眼间，一万八千年过去了。一天，他睁开眼睛，只见一片黑暗，没有光。盘古闷得发慌，便伸出手到处乱抓，突然他抓到了一把大斧头。盘古抡起斧头，狠狠向前劈去。"轰"的一声巨响，鸡蛋裂开了。鸡蛋里清而轻的东西往上飘，变成清澈明亮的天空；鸡蛋里浊而重的东西往下沉，变成厚重结实的大地。就这样，天地彻底分开了。

盘古担心天地重新合起来，便两脚踏地，双手撑天，站立在天地之中。盘古的个子每天长高一丈，天就跟着每天升高一丈，地也跟着每天加厚一丈。这样又过了一万八千年，天升得极高极高，地变得好厚好厚，天地再也无法复合了。

年复一年，盘古就这样在孤独寂寞中做着支撑天地的工作。终于有一天，盘古累得筋疲力尽，身子轻轻地躺下了，再也没有醒来。盘古死后，他的身躯化成万物点缀着美丽的世界。

nǚ wā zào rén
女娲造人

pán gǔ kāi tiān pì dì yǐ hòu tiān shàng yǒu le rì yuè xīng chén dì shang yǒu le shān chuān
盘古开天辟地以后，天上有了日月星辰，地上有了山川

hé liú zhěng gè shì jiè shēng jī bó bó yǒu yí wèi jiào nǚ wā de nǚ shén zài kāi mǎn xiān huā
河流，整个世界生机勃勃。有一位叫女娲的女神，在开满鲜花

de yuán yě shang xī xì tā máng rán de zǒu dào hú biān qīng chè de hú shuǐ yìng chū le tā liàng
的原野上嬉戏。她茫然地走到湖边，清澈的湖水映出了她亮

lì de shēn yǐng nǚ wā wàng zhe hú lǐ de yǐng zi xīn zhōng yí liàng zuò zài hú biān de shí tou
丽的身影。女娲望着湖里的影子，心中一亮，坐在湖边的石头

shang yòng shǒu wā le xiē huáng ní zhàn diǎn shuǐ zhào zhe zì jǐ de yǐng zi niē le qǐ lái
上，用手挖了些黄泥，蘸点水，照着自己的影子捏了起来。

nǚ wā niē chū yí gè xiǎo dōng xi nà mú yàng gēn tā chà bu duō tā chòng xiǎo dōng xi chuī
女娲捏出一个小东西，那模样跟她差不多。她冲小东西吹

le kǒu qì nà xiǎo dōng xi jū rán huó le hái jī jī zhā zhā jiǎng qǐ hé nǚ wā yí yàng de huà
了口气，那小东西居然活了，还叽叽喳喳讲起和女娲一样的话

lái nǚ wā bǎ zhè xiǎo dōng xi jiào zuò rén nǚ wā xīn xiǎng zhè shì jiè yǒu le rén kě rè
来。女娲把这小东西叫做"人"。女娲心想，这世界有了人可热

nao duō le yú shì jì xù yòng huáng ní zhàn shuǐ niē chū xǔ duō nán rén hé nǚ rén
闹多了，于是继续用黄泥蘸水，捏出许多男人和女人。

zào wán rén nǚ wā jiù zài hú biān shuì qǐ jiào lái yí jiào xǐng lái tā fā xiàn yì xiē xiǎo
造完人，女娲就在湖边睡起觉来。一觉醒来，她发现一些小

rén tǎng zài dì shang yǐ jīng lǎo sǐ le nǚ wā xīn
人躺在地上，已经老死了。女娲心

zhōng àn àn zháo jí zhè yàng xià qù rén hěn kuài jiù
中暗暗着急，这样下去，人很快就

huì sǐ guāng de hòu lái nǚ wā jiào rén lèi nán nǚ
会死光的。后来，女娲叫人类男女

pèi hé shēng yù hòu dài zhè yàng yí dài chuán yí
配合，生育后代。这样一代传一

dài rén lèi jiù yǒng yuǎn bú huì miè jué le
代，人类就永远不会灭绝了。

chuán shuō yīn wèi nǚ wā niē nán rén shí tǔ yòng
传说因为女娲捏男人时土用

de duō yì diǎn suǒ yǐ nán rén hěn yǒu lì qi niē nǚ
得多一点，所以男人很有力气；捏女

rén shí shuǐ yòng de duō yì diǎn suǒ yǐ nǚ rén yǎn lèi
人时水用得多一点，所以女人眼泪

tè bié duō
特别多。

zuān mù qǔ huǒ
钻木取火

远古时候，人们还不知道火是什么东西，更不知道如何利用火，东西都是生吃的，就是打来的野兽，也是生吞活剥，这叫"茹毛饮血"。一次，森林里偶然着火了，人们怕得要命，赶紧逃跑。等火灭了，人们重新回到林子里，发现有烧死的野兽，拿来一尝，味道挺香。后来，人们渐渐学会用火烧东西吃，但是却不会保存火种。

相传，在西边很远的地方，有一个国家叫燧明国。那里既没有春夏秋冬四季的变化，也没有白天黑夜的交替。那里的人不会死亡，在世上活得厌烦了，就会升天。燧明国有一种火树，名叫燧木，树枝交错盘曲，占地面积有一万顷那么大，树枝间云雾缭绕，只要把树枝折下来相互钻磨，就会擦出火花。

后来有个圣人云游到这里，看到树上有一种像猫头鹰一样的鸟，用嘴啄树，竟然啄出了火星。圣人得到启发，用小树枝在大树枝上飞快地钻动，果然出现了火星。经过多次试验，他发现很多树都可以钻出火来。回到中原后，他把取火的方法教给人们。人们感激这位圣人，就称他为"燧人氏"，意思是"取火者"。

神农尝百草

shén nóng cháng bǎi cǎo

我们常称自己为炎黄子孙：黄，是指黄帝；炎，是指炎帝，炎帝就是神农氏。

那时候，人们猎取野兽为食。但是随着人口增多，野兽数量减少，人们渐渐觉得野兽不够吃了。而五谷和杂草长在一起，哪些植物可以吃，哪些不可以吃，谁也分不清。有时人们不小心吃了有毒的东西，就会不舒服，甚至丧命。

神农看了，决定帮助大家过上好日子。他采集了几种可以食用的种子，教人们播种，这就是"五谷"。人们敬仰他对农业做出的贡献，所以称他为神农氏。

等到人们生活安定下来，神农又开始跋山涉水，四处寻找药草，采来为百姓治病。据说神农有一条神鞭，叫"赭鞭"。当他用赭鞭鞭打各种草药的时候，就能辨别出草药有毒无毒、性寒还是性热，能治什么病。

为了弄清草药的特性，每种草药神农都要亲口尝一尝。有一次，神农尝了有剧毒的断肠草，最终痛苦地死去了。他的陵墓在湖南长沙，叫炎帝陵。

xíng tiān wǔ gān qī
刑天舞干戚

传说黄帝时代，炎帝和黄帝争夺中央天帝的宝座，炎帝被打败，被迫退到南方。

当时，炎帝手下有一个非常忠诚的臣子，是个身材高大的巨人，人们就叫他"刑天"。刑天一直为炎帝抱不平，但是炎帝似乎再没了斗志。刑天就独自跑去向黄帝挑战。

他左手握一面盾牌，右手拿一把大斧，一个人杀向中央天帝的宫门。黄帝知道了，披挂出来亲自与他交战。两个人拼命厮杀，一直杀到最西边的常羊山。黄帝看准机会，一剑向刑天砍去，刑天的头颅被砍落下来，落在山脚下。刑天没了头，两手四处乱摸。黄帝怕他找到头再重新接到脖子上，就一剑劈开常羊山，把刑天的头埋在山里面，然后，又把大山合上了。

刑天找不到自己的头，非常愤怒，就立起身来，拿胸前的两个乳头当做一双眼睛，肚脐当做嘴巴，左手握盾，右手持斧，向着天空猛砍，战斗不止。

而此时，黄帝早已跑回天庭去了。所以直到现在，刑天还在常羊山下挥舞着斧头呢！

cāng jié zào zì
仓颉造字

zhōng guó de hàn zì jù yǒu dú tè de fāng kuài zì zì
中国的汉字具有独特的"方块字"字

xíng hé jiān biǎo yīn yì de tè diǎn tā shǐ zhōng huá mín zú shù
形和兼表音义的特点，它使中华民族数

qiān nián de wén míng dé yǐ chuán chéng nà me nǐ zhī dào hàn
千年的文明得以传承。那么，你知道汉

zì shì zěn me lái de ma
字是怎么来的吗？

chuán shuō cāng jié shì huáng dì de shǐ guān tā cōng míng
传说，仓颉是黄帝的史官，他聪明

ér yǒu cái dé cāng jié yòng zǔ chuán de jié shéng jì shì de bàn
而有才德。仓颉用祖传的结绳记事的办

fǎ tì huáng dì jì zǎi shǐ shí shí jiān yì cháng nà xiē dà dà xiǎo xiǎo qí xíng guài zhuàng de
法替黄帝记载史实。时间一长，那些大大小小、奇形怪状的

shéng jié dōu jì le xiē shén me lián tā zì jǐ dōu kuài hú tu le yīn cǐ cāng jié jí qiè de
绳结都记了些什么，连他自己都快糊涂了。因此，仓颉急切地

xiǎng zào chū yì zhǒng jiǎn dān yì jì de fú hào yòng lái biǎo dá sī xiǎng jì zǎi lì shǐ
想造出一种简单易记的符号，用来表达思想，记载历史。

kě shì zěn me zào ne cāng jié xiǎng wàn wù dōu yǒu zì jǐ de tè zhēng wǒ wèi shén me
可是怎么造呢？仓颉想：万物都有自己的特征，我为什么

bù néng àn zhào shì wù de tè zhēng huà chū tú xíng zhè zhǒng tú xíng dà jiā dōu kě yǐ biàn rèn chū
不能按照事物的特征画出图形，这种图形大家都可以辨认出

lái zhè bú jiù xíng le ma cāng jié biàn yì xīn yí
来，这不就行了吗？仓颉便一心一

yì de huà qǐ fú hào lái bìng gěi zhè xiē fú hào
意地画起符号来，并给这些符号

qǔ le gè míng zì jiào zì zhè xiē zì zuì
取了个名字，叫"字"。这些字，最

zǎo dōu shì mó fǎng shì wù gè zì de tè zhēng huà chū lái
早都是模仿事物各自的特征画出来

de bǐ rú rì zì shì zhào zhe tài yáng yuán yuán de
的：比如"日"字，是照着太阳圆圆的

mú yàng huì de yuè zì shì fǎng zhào zhe yuè yá er
模样绘的；"月"字，是仿照着月牙儿

wān wān de xíng tài miáo de
弯弯的形态描的……

cóng cǐ zhōng huá mín zú jiù yǒu le wén zì
从此，中华民族就有了文字。

羲和生十日

相传在东海之外、甘水之间有一个羲和国，天帝帝俊的妻子——女神羲和就住在这里。羲和生了十个儿子，也就是十个太阳，他们住在东海外的谷里。那里有一棵大树，名叫"扶桑"。扶桑树有几千丈高，十个太阳就住在这棵大树上。

扶桑树上还有一只玉鸡。每当黑夜应该过去、光明应该到来时，玉鸡就会拍打着翅膀，喔喔喔地啼叫。接着，天下的公鸡也跟着打鸣。鸡叫的声音吵醒了十个太阳兄弟，他们每天一个轮流到天空中照耀大地。早上，不论哪个太阳去，都由他们的妈妈羲和驾车相送。

去天空中的太阳每次都在咸池洗澡，然后坐上妈妈驾着的六龙车出发！等羲和驾着六龙车带他赶到曲阿山时，天刚变亮；走到曾泉，该吃早饭了；走到桑野，该吃午饭了；走到衡阳，便是中午时分；走到昆吾山，太阳当顶；走到乌次山，开始偏西；到了悲谷，就是下午了；走到女纪这个地方，太阳西斜了……到了悲泉，羲和驾的六龙车停下了。

12

huáng dì zhàn chī yóu
黄帝战蚩尤

炎帝与黄帝本是同母异父的兄弟,各占一半天下,他们兄弟俩却水火不相容,谁也不服谁。几场血战后,炎帝惨败。最后炎帝退到了南方,黄帝成了最高统治者,做了中央天帝。众神纷纷归顺黄帝,可是炎帝的子孙蚩尤却不肯向黄帝称臣,他要为炎帝报仇。

蚩尤蛮横好战,传说他有八十一个兄弟,个个都长得青面獠牙,面目狰狞,凶猛无比。不久,蚩尤率领部队,打着炎帝的旗号,浩浩荡荡地从南方向北方的涿鹿杀来。没料到,黄帝为了打败蚩尤,平时驯养了熊、罴、狼、豹、虎等野兽。当蚩尤的八十一个兄弟出战时,黄帝大旗一挥,猛兽腾空而起,向蚩尤的部队猛扑过去。蚩尤的那八十一个兄弟被吓得四处逃散。

黄帝率兵乘胜追击。忽然天昏地暗,电闪雷鸣,原来是蚩尤请来了风伯雨师助战。黄帝不甘示弱,冲天大呼,请来天女助威。霎时,风停雨住,云开雾散。黄帝立刻整顿大军冲杀过去,蚩尤的人马还没回过神来,就被生擒活捉了。各氏族部落看到黄帝打败了蚩尤,纷纷拥戴黄帝为各部落的总首领。

gòng gōng nù chù bù zhōu shān
共工怒触不周山

传说，颛顼是黄帝的孙子。他很有智谋，善于利用鬼神迷信来维系部族成员，在部族中很有威信。颛顼视察过许多地方，每个地方不仅百姓热烈欢迎他，甚至连动物也摇动着尾巴，树木也摆动着枝叶，对他表示欢迎。

与颛顼同时还有一个人，叫做共工。据说共工是炎帝的后代，他人面蛇身，长着一头火红的头发。因为黄河经常泛滥，共工的部族常常处于洪水的包围之中，共工就带领大家与洪水做斗争。但是共工采用堵的方法，没有根治洪水，而是把洪水泛滥的危险转移到了下游地区，威胁到颛顼部落人民的生命安全。就这样，颛顼与共工之间发生了一场激战。颛顼和共工一直打到西北方的不周山脚下。共工见不能得胜，心中急躁，就一头向不周山撞去。只听"轰隆"一声，不周山被拦腰撞断。这不周山是一根擎天柱。擎天柱折断了，大地向东南方塌陷，天空向西北方倾斜；大江大河都向东南方流去，汇入海洋；日月星辰则每日从东边升起，向西边降落。

dù yǔ huà juān
杜宇化鹃

在很久很久以前的春秋时代，有一天，蜀地来了一个远方的异族人，他的装束言谈都和当地人不同，人们以为他是从天而降的，这个人就是杜宇。

当时蜀地人烟稀少，到处都是荒芜的沼泽地。杜宇来到这里，就带领人们整治土地，教给他们农业耕作的技术。随着农业生产的不断发展，这里变成了富庶的地方。杜宇就在这里建立了国家，即古蜀国，杜宇被称为"望帝"。

望帝一心一意地治理国家，爱护百姓。蜀地洪水泛滥，望帝带领人民治水，实行按季节耕种的农耕制度，但始终不能根治洪水。尤其是到了望帝晚年，水患更厉害了。

为了挽救国家，望帝说，只要有人能消除水患，他愿让出王位。这时，蜀国发生了一件怪事：有一具尸体顺着长江水逆流而上，漂到了蜀地，搁浅在岸上，竟然活过来了。

这件骇人听闻的事情在当地广为流传。这个蹊跷的怪人自称"鳖灵"，来自下游的荆楚之地。

望帝听说了，就把他召来相见。望帝觉得鳖灵很有才干，就叫他担任宰相一职，专门负责治理洪水。

鳖灵察看地形，测量水势，凿通了玉垒山，把岷江的水引至沱江，又开凿金堂县峡使沱江分洪，大大减轻了成都平原的水患。据说后来秦郡守李冰修都江堰，便是在总结和继承鳖灵治水成果的基础上建成的。望帝见鳖灵治水有功，就把帝位让给了他。鳖灵即开明帝，又称"丛帝"。杜宇让出王位之后，隐居在西山。后来杜宇死了，化为子规，又名布谷鸟。

每年春耕时节，子规啼鸣，发出"布谷布谷"的声音。那声音四音一节，凄厉动人，催促人们赶紧春耕播种，不要耽误了农时。人们一听到它的叫声，就说："那是我们望帝的魂魄啊！"说着赶紧去田里劳作，一点都不敢懈怠。

百姓怀念望帝，就把这种鸟称为"杜鹃"。杜鹃不停地鸣叫，叫出血来，染红了嘴，所以杜鹃的嘴是红的。李白在《宣城见杜鹃花》里曾经写道："蜀国曾闻子规鸟，宣城还见杜鹃花。一叫一回肠一断，三春三月忆三巴。"

蜀国的王位由鳖灵的子孙世代相传。至今，在离成都不远的郫县城南，还有望丛祠，用来祭祀望帝和丛帝。

tiān nǚ sàn huā
天女散花

相传，盘古有两个儿子、一个女儿：大儿子掌管天上的一切，人称玉帝；二儿子掌管人间的一切，人称黄帝；小女儿掌管百花，人称花神。盘古死后，花神精心培育百花种子。她从西面的净土山上挑来一担净土，把净土摊在天石上，又把百花种子种在了上面。然后，她又到真水潭中取来真水浇灌百花种子。百花种子在真水的浇灌下，慢慢地抽芽了。没多久，花苗就长出了花苞。最后，花神到北面的美水潭取来美水，含苞欲放的花苞在美水的滋润下开出了美丽的花朵。

花神满心欢喜，兴冲冲地报告给大哥玉帝。玉帝用花神种的花点缀天庭。这时，花神想到了二哥黄帝，就对玉帝说："如今天上已有百花点缀，人间却没有鲜花。"玉帝就找来一百名仙女，封她们为百花仙子，受花神管束，帮助花神把百花带到人间。

从此，百花仙子每年都会手托花篮在花丛中采摘鲜花，又乘着仙云将满满一篮子鲜花撒向人间。天女散花，落到人间，才有了百花竞放、色彩缤纷的美好世界。

雷神上任

léi shén shàng rèn

远古时候，天地间有许多妖魔鬼怪经常出来作恶。玉帝就派雷神掌管天下的雷电，为世间除妖镇魔。

雷神前来上任了。这时，忽然天上掉下一件东西，撞到前面的一块大青石上，发出一道耀眼的光来。原来是太上老君扔掉的拨火棒，正巧被雷神看到。雷神捡起拨火棒，用它指向哪里，哪里就闪电发光。雷神给拨火棒取名为"霹雳棒"。雷神向元始天尊请教伏魔的方法，不巧元始天尊出门了，留下徒弟看守家门。徒弟对雷神说："世上有一对采集阳光的野兽叫'夔'，住在东海的流波山上。用夔皮制鼓，能发出震天动地的雷声，可以吓走魔鬼。"

雷神先捉到母夔，用它的骨头做成了鼓槌；之后雷神又去找公夔，用公夔皮制成了夔鼓。

一切都具备了，雷神手拿用母夔骨头做成的鼓槌，擂动起用公夔皮制成的夔鼓，顿时隆隆雷声震动了整个大地；他又手拿霹雳棒一指，只见一道闪电"哧啦啦"照亮整个天空。天地间的妖魔鬼怪吓得浑身战栗，因为害怕闪电和响雷，它们以后再不敢出来做坏事了。

yǔ shén chì sōng zǐ
雨神赤松子

传说远古时候风调雨顺，人们从来不用担心雨水的问题，所以从来没有人去祭拜雨神。

可是有一年，天下却遇到了少有的干旱。

火辣辣的太阳从早晒到晚，小溪干涸了，土地裂开了，田地里的禾苗枯死了，就连人畜饮水都成了问题。人们见了这种情形，忧心忡忡，到处打听有没有能人可以解决这个难题。当听说在远处的深山里，有个叫赤松子的人会求雨时，人们赶紧去请他出来求雨。

赤松子住在大山里，常吃一种神奇的草药，据说这种药能让人水里来、火里去，却不会受伤。赤松子用茅草做上衣的领子，用兽皮做裙子，脚不穿鞋，就像个野人。赤松子曾拜赤真人南游衡岳为师，学会了呼风唤雨的本领。

赤松子被请出山后，立即施法，不多一会儿，天就下起了倾盆大雨。人们欢天喜地，就像过节一样。赤松子神通广大，能根据人们的需要控制风雨的大小，人们就奉他为雨神，并常祭拜他。

léi zhèn zǐ jiù fù
雷震子救父

商朝末年，纣王昏庸无道，宠爱妲己，建酒池、肉林，迫害忠臣，西伯侯姬昌也被抓了起来。

姬昌被囚禁后，天天弹琴打发时间。这天，姬昌猛然听得琴弦间有杀气，慌忙占了一卦，竟流下了泪，说道："看来，我姬昌要靠吃自己儿子的肉保全自己了。"不一会儿，就有命官送来肉饼，姬昌只好强忍着巨大的痛苦吃掉了用儿子伯邑考的肉做成的肉饼。命官回去告诉纣王，姬昌吃了肉饼。纣王当即传下了赦书，姬昌立刻离开了朝歌。

姬昌跑出没多远，追兵就赶来了。这时，突然从空中传出一个声音："马上之人，可是西伯侯姬老爷？"姬昌抬起头，看见一个人面如蓝靛，发如朱砂，眼如铜铃，顿时吓得魂不附体。这个人却跪下来，说："孩儿叩见父王。

孩儿是父亲在燕山收养的雷震子，奉师父的命令，今天在此处搭救父亲。"然后，雷震子背起姬昌，展开双翅，飞上天空，把追兵远远地甩在后面，没过多久就到了西岐的地界。

比干剜心

朝歌的鹿台用了两年多的时间，终于修建成功。鹿台楼阁重重，雕梁画柱，富丽堂皇。纣王与妲己在鹿台上酣饮，纣王突然感叹道："要是有神仙、仙子们和咱们共享这繁华的鹿台，该多好啊。"妲己说："这个不难，这么好的鹿台，一定会引神仙来的。"当晚，三更时候，妲己等纣王睡熟了，便将原形脱离身躯，一阵急行，来到朝歌城南门外面离城三十五里远的轩辕坟内。原来这里是众多狐狸精的巢穴。

第二天，妲己对纣王说："我昨天梦见一个道人跟我说，今天晚上要和群仙造访大王的鹿台。"纣王听了很高兴，当即让人准备好酒席，还让比干来陪酒。

到了晚上，纣王和妲己在鹿台上一边饮酒一边等神仙到来。突然，四处风起，一股妖气霎时间把一轮明月全遮挡住了。一会儿，台上纷纷落下三十九位仙子，这时，月光也渐渐地出来了。纣王见果然有神仙来，马上迎接他们，和他们痛饮甘浆。妲己让比干用大杯斟酒劝饮。比干只好听从。

喝过一轮又一轮，比干有饮百斗酒的海量，当然不在话下，但是这些妖怪就不行了，酒量小的，早就招架不住了，纷纷现出原形。比干都看在眼里。于是，比干找个理由退了出来，找到武成王黄飞虎，说了妖精的事情，黄飞虎立即派人去跟踪那些妖精。

那些大醉的狐狸精回到轩辕坟。黄飞虎得到消息后立刻命令手下周纪率领三百名家将在坟前架起干柴烧火，将洞里的狐狸全都烧死了。后来，比干将其中好的狐狸皮硝熟，制成了一件皮袄，冬天到来的时候，送给纣王。妲己见到皮袄，恨得咬牙切齿，一心想害死比干。

一天，妲己突然想到一个阴谋。她说自己有一个修道的妹妹叫胡喜媚，比自己还要漂亮。纣王让妲己想办法把她带进宫里。于是妲己点燃一枝香，口中念念有词。月下风声，落下了一个妖艳的女子，纣王欣喜若狂，让妲己极力挽留胡喜媚在宫里居住。其实，胡喜媚就是九尾雏鸡精。

一天，妲己和胡喜媚两个妖精正在鹿台上吃早饭，忽然妲己大叫一声，跌倒在地上。纣王看到妲己嘴里喷吐出鲜血，紧闭着嘴，不知道该怎么办。

胡喜媚说："以前在冀州，姐姐就经常患这种病。有一个叫张元的郎中，说用玲珑心煎汤喝，就可治好。"纣王问胡喜媚哪里能找到玲珑心，胡喜媚说："这满朝文武只有比干丞相有。"纣王马上下令传见比干。

比干正待在家里，忽然，有人飞马送来纣王的书信，让比干立刻去见纣王。不一会儿，他接二连三地收到纣王的五封信。最后一个送信官是陈青，他说："大王要用你的心当药救妲己的命。"比干听完，走进屋里，含泪和夫人儿子话别。

比干一见纣王就怒斥他无道，居然要吃大臣的心。然后他拿过剑，解下腰带，露出身体，把剑刺进肚脐。比干将手伸进腹中，把心摘出来，往地上一扔，用袍子遮住身躯，径直走下了鹿台。比干的家人一见比干出来，就牵马过来，比干上了马，向北门飞奔。大约跑了六七里地，他见路边有一个妇女，手里提着篮子，叫卖无心菜。比干问她："菜无心能活，人无心会怎样？"

女人说："人无心会死去。"

比干大叫了一声，从马上跌下来倒在地上，一动不动。一个忠臣就这样被害死了。

23

穆天子见西王母
mù tiān zǐ jiàn xī wáng mǔ

在西方的昆仑山上，有一个风景如画的瑶池，居住着一位女神，她就是西王母，又叫王母娘娘。在西王母的世界里，一片繁忙的景象：一只洁白的玉兔在捣药，一只蟾蜍忙着过滤药汁，还有三只青鸟飞来飞去将仙药分送到人间。它们制作的就是人们向往的长生不老药。

瑶池长着一种蟠桃，三千年一成熟。每逢蟠桃成熟，西王母便大摆寿筵，诸位仙人都来祝寿。这就是著名的蟠桃盛会。大仙桃汁多味美，吃了之后就能长生不老。

三千多年前，周朝第五代国君周穆王姬满，驾着八匹骏马拉的车子，向西巡游，整整走了十七年，来到瑶池仙界，见到了西王母。周穆王送给西王母白圭玄璧，以及中原特产、丝绸锦缎。西王母拜谢后，回赠给周穆王当地的瑰宝奇珍。西王母设宴款待周穆王，还请周穆王游览了天山和瑶池。周穆王看到山川如此秀美，流连忘返，就在山上立了一块石碑，写下"西王母之山"五个字，还种了槐树留作纪念。

jiāng yuán shēng ròu qiú
姜嫄生肉球

姜嫄是有邰氏部落的一个姑娘。有一天，姜嫄发现地上有一个巨大的脚印，就好奇地用自己的脚去踏这个大脚印。刚踏上去，她觉得有一股热流钻入脚心，全身热乎乎的。

不久，姜嫄发现自己怀孕了。满十个月时，她生下来一个红红的肉球，姜嫄害怕极了。一个清晨，姜嫄狠下心肠把肉球抛到池塘里去了。奇怪的事情发生了：一只大鸟飞了过来，落在肉球旁边，展开两只翅膀覆盖在肉球上面，像母亲保护婴儿一样。这时只听得婴儿的哭声从肉球中传出来，随后肉球像鸡蛋壳一样裂开了，一个胖乎乎、红皮嫩肉的小男孩儿正在肉球里挥动着小手和小腿。姜嫄把孩子裹起来抱回家。

姜嫄给儿子取名叫"弃"，意思是他曾经被抛弃过。弃从小就喜欢把那些野生的麦子、大豆、高粱和各种瓜果的种子收集起来，种到土地里。春去秋来，种子结出了又甜又香的果实。后来，因为弃的辛劳和成绩，舜便把他封在他母亲所在的地方——邰，号称"后稷"。

jù bǎo pén
聚宝盆

míng cháo de shí hou yǒu yí gè qióng xiù cai
明朝的时候，有一个穷秀才，

míng jiào shěn wàn shān yí gè xià tiān de wǎn shang
名叫沈万山。一个夏天的晚上，

tā mèng jiàn yǒu yí dà qún rén qiú jiù qián miàn de nà rén guì zài dì shang shuō shěn gōng zǐ
他梦见有一大群人求救，前面的那人跪在地上说："沈公子，

qǐng nín jiù jiu wǒ men de xìng mìng ba zhǐ yào nǐ pò fèi jǐ bǎi wén qián jiù kě yǐ jiù wǒ men
请您救救我们的性命吧！只要你破费几百文钱，就可以救我们

zhè jǐ bǎi gè rén de xìng mìng le qīng yī rén yì shuō wán shěn wàn shān jiù xǐng le
这几百个人的性命了。"青衣人一说完，沈万山就醒了。

dì èr tiān shěn xiù cai qù shì jí kàn jiàn yí gè lǎo tóu er zài mài qīng wā nà ge lǎo
第二天，沈秀才去市集，看见一个老头儿在卖青蛙。那个老

tóu er yòng dāo pōu kāi qīng wā de dù zi dài zi li de qīng wā dèng zhe dà yǎn jing yì biān tiào
头儿用刀剖开青蛙的肚子。袋子里的青蛙瞪着大眼睛，一边跳

yì biān fā chū bēi cǎn de jiào shēng shěn xiù cai bù jīn xiǎng dào le zuó wǎn de nà ge mèng tā
一边发出悲惨的叫声。沈秀才不禁想到了昨晚的那个梦。他

tāo chū shēn shang de qián bǎ zhè bǎi lái zhī qīng wā quán bù mǎi xià lái yòu bǎ tā men fàng huí shuǐ
掏出身上的钱，把这百来只青蛙全部买下来，又把它们放回水

táng li zhè tiān wǎn shang shěn xiù cai tīng jiàn yí zhèn zhèn qīng wā de jiào shēng tā yán zhe qīng wā
塘里。这天晚上，沈秀才听见一阵阵青蛙的叫声，他沿着青蛙

de jiào shēng xún le guò qù fā xiàn yí gè xiǎo shuǐ táng li shàng bǎi
的叫声寻了过去。发现一个小水塘里，上百

zhī qīng wā zhèng wéi zhe yí gè wǎ guàn dà jiào tā bǎ wǎ guàn ná
只青蛙正围着一个瓦罐大叫。他把瓦罐拿

huí jiā yòng lái chéng shuǐ
回家，用来盛水。

yí cì tā de qī zi bù xiǎo xīn jiāng tóu shang de yín chāi diào
一次，他的妻子不小心将头上的银钗掉

jìn le wǎ guàn li bù xiǎng wǎ guàn li yí xià zi jiù zhuāng mǎn le
进了瓦罐里，不想瓦罐里一下子就装满了

yín chāi tā men dào lín jū jiā jiè le yí dìng yuán bǎo fàng jìn le
银钗。他们到邻居家借了一锭元宝，放进了

guàn zi li bù yí huì er guàn zi li zhuāng mǎn le yuán bǎo fū
罐子里。不一会儿，罐子里装满了元宝。夫

qī liǎ zhè cái zhī dào zhè ge guàn zi shì gè jù bǎo pén shì qīng
妻俩这才知道，这个罐子是个聚宝盆，是青

wā wèi le bào dá jiù mìng zhī ēn sòng gěi tā men de
蛙为了报答救命之恩送给他们的。

bái luó xiān nǔ
白螺仙女

江苏宜兴荆溪边有个叫吴堪的年轻人，每天起早贪黑地下地种田。这天，吴堪干完农活，站在溪水里搓脚上的黄泥巴。突然，一只老鹰从天上俯冲下来，抓起一只白田螺飞过头顶。吴堪抓起溪里的鹅卵石，对准老鹰使劲儿一砸，老鹰松开双爪。吴堪捡起大白螺，把它放在水缸里，每天用荆溪的溪水喂养它。

一天中午，火辣辣的太阳当空照。吴堪干完活儿后汗流浃背地回家做饭。刚到家门口，就闻到一股米饭香。推开门一看，桌上放着热乎乎的饭菜，还摆好了碗筷。他想，一定是好心的邻居为他做的。第二天中午，吴堪刚到家门口，又闻到米饭的香味儿。第三天，吴堪躲在窗户底下偷看。突然，他看见水缸里冒起了白烟，飘出一位美丽的姑娘，梳着螺旋形的发髻。她淘米、洗菜，忙了起来。这时候，吴堪闯进屋，姑娘想逃回缸里，可是来不及了。她羞答答地说："我是白螺仙女，来报答你的救命之恩。"后来，俩人结为夫妻，过着幸福的生活。

yuè xià lǎo rén
月下老人

唐代杭州有位名叫韦固的书生。一天，韦固半夜回家，看见一个白胡须的老人正对着月光翻书，旁边放着个装满了红绳子的布袋。韦固好奇地问："布袋里的红绳是干啥用的？"老人说："是用来拴住夫妻的。哪对男女有缘，我就用红绳把两人拴在一块儿。就算他俩各居一方，也会走到一起，这就叫'千里姻缘一线牵'。"

韦固接着问："那我将来的妻子住的一定很远吧？"老人摇摇头，说："不远，就是你家屋后陈婆婆的外孙女。"韦固一听皱起了眉头。陈婆婆是个卖豆腐的，刚搬来不久，带着个刚会走路又脏又丑的外孙女，那孩子眉心有粒梅花痣。

十多年后，韦固弃笔从军。他作战勇敢，刺史王泰很欣赏他，招他做了女婿。洞房花烛夜，韦固掀开新娘红盖头，妻子的模样像花儿一样漂亮，眉心有粒梅花痣。韦固突然想起了陈婆婆的外孙女：两人都有梅花痣，这可巧了！韦固就把路遇月下老人的故事讲给妻子听。没想到妻子正是陈婆婆的外孙女。后来，人们也把媒人叫做"月老"。

pú tí dá mó
菩提达摩

传说菩提达摩祖师千里迢迢从西天来到嵩山玉乳峰，找了一个山洞住下，一面修炼，一面收徒弟传授佛法。后来，达摩祖师结合中国文化创立了禅宗，前来拜师的人越来越多。

话说嵩山还有一位传授道教的道长名叫寇天师。他见自己的徒弟纷纷转到达摩祖师的门下，心中大为恼火。为了赶走达摩，寇天师就派狼藉老道前去玉乳峰捣乱。第二天，狼藉老道带着一群恶狼闯进玉乳峰的山洞。只见达摩祖师和他的徒弟正坐在蒲团上闭目诵经，身上发出道道金光，任凭恶狼在身边狂舞嗥叫都毫不理睬。狼藉老道命令一只恶狼趴在达摩祖师肩膀上，用爪子去抓他的耳朵。但达摩仍然闭目诵经，一动也不动。狼藉老道只好走了。

从此，达摩祖师和徒弟们常年在山洞中修炼佛法。但是，很多和尚经不起多年的磨难，半途而废了，只有徒弟神光始终陪伴着师父。师徒二人一心一意修炼佛法，最终二人都修炼成佛。后来，那个山洞被称为达摩洞。

guī shé èr guài
龟蛇二怪

传说武当山有修炼千年的龟怪和蛇怪，在当地作恶多端。一日，武当山下大户人家的女儿金菊和婉娘到后院的池塘赏荷花。突然间，天昏地暗，电闪雷鸣。风吹云散后，两位姑娘却不知去向了。

老爷知道是龟蛇二怪在捣鬼，就请城隍爷帮忙。城隍爷带领神兵直捣武当山，只见龟蛇二怪带领妖兵从山上冲杀过来，打得神兵措手不及。危急之际，祖师驾着一朵祥云从天而降。祖师将手中的七星宝剑往南边一指，只见一团大火球从空中呼啸而过，把众小妖烧得鬼哭狼嚎。龟蛇二怪只得化作黑烟溜之大吉。祖师来到三里溪时，见溪水上面妖气沉沉，祖师便自己驾船到溪水中搜寻妖怪。

一不小心，祖师连同船只被大浪吞没了。原来，这只船正是龟蛇二怪变的。祖师虽然落水，但他施展法术，将自己变得像山一样高大，一下子冒出水面。祖师像老鹰抓小鸡似的将二怪捉在手里，又命他们放了金菊和婉娘。

bǎi huā xià fán
百花下凡

话说天下的仙山除了王母娘娘居住的昆仑山外，还有蓬莱、方丈、瀛洲三座仙山，都是各路神仙聚集的地方。

蓬莱山上有个薄命岩，岩上有个红颜洞，总管天下名花的百花仙子就住在洞里。这一年，正值三月初三王母娘娘的生日，百花仙子与百草、百谷、百果三位仙子结伴去赴王母的蟠桃会。

蟠桃会上，嫦娥向众仙说："今天是王母寿诞，各位仙人纷纷赶来祝贺。刚才众仙女的歌舞表演，每次蟠桃会我们都见过。我听说鸾凤能歌，百兽善舞，既然有如此妙事，何不趁此盛会请百鸟、百兽两位大仙，吩咐手下的仙童来此歌舞一番？"

于是，百鸟仙和百兽仙便表演起来。只见许多仙童围着丹凤、青鸾两个童子，脚踏祥云到了瑶池，拜见过王母，领了法旨，摇身一变，变成两只色彩斑斓的禽鸟，随行的童子也都变成各色禽鸟。

随后，麒麟带领的童子纷纷变成虎、豹、鹿等。一时间，众鸟围着鸾凤，歌喉婉转；麒麟带着众兽，舞态盘旋。王母娘娘笑得合不拢嘴。

嫦娥趁机向百花仙子道："仙姑何不趁此也发个号令，使百花一齐开放同来庆祝王母寿诞呢？"

百花仙子摆摆手说："小仙掌管的百花，开放有一定的时序，不像歌舞，随时可以发令。玉帝对此查管最严，凡是应该开放的花，天上都有图谱，有仙子专门勘察，因此花开守信，虽然种类繁多，但是四时的花皆不相同，人间才把花看作美丽的象征。小仙对百花的开放极其谨慎，不敢有半点差错，除非玉帝下旨，小仙不敢轻易开花。"

嫦娥不觉又恼又气，说道："你刚才说只有玉帝下旨你才会命百花齐放，如果

凡间的帝王下旨，一时百花齐开，那你怎么说？"

花仙道："如果真的发生这种事，小仙情愿堕落红尘受苦，决不反悔！"

日月流转。这年冬天，群芳暂息，百花仙子既不需要四处查访群花，也不用下令花儿开放。

这天，她留下牡丹、兰花等仙子看家，来到麻姑的洞府小聚，两人趁着雪天闲暇，摆开棋局，不觉沉迷于黑白的世界中。

百花仙子只顾在麻姑的洞府里下棋，哪知下界的帝王真有御旨命她的百花齐放。

这位帝王并不是须眉男子，而是当朝皇帝唐中宗的母亲武则天。

原来，这武则天是天上的星宿心月狐，因为动了凡心，被派到下界为天子。心月狐和嫦娥一向友好，临行前特地向嫦娥辞行，嫦娥忽然想起在王母的蟠桃会上和百花仙子争吵的事情，悄悄地嘱咐道："星君此次下界为天子，荣华富贵都不算什么。如果你能命令百花在一日之内全都开放，普天之下享尽万紫千红，那才称得上锦绣乾坤，花团锦簇。"

心月狐笑道："这有什么难的？我既然当上了皇帝，不要说百花齐放，就是从不开花的铁树，我也能让它开花。"

后来，心月狐就下凡投生在唐朝，成了唐高宗的妻子。高宗不问政事，武后借机把持了朝政。

这天正是残冬时节，武后和太平公主一起饮酒赏雪，忽然阵阵清香扑鼻，原来庭院里的几株腊梅迎雪开放了。

"腊梅既然开放，园中其他的花也应该开放了吧？即刻备车，朕要去上林苑赏花！"武后说道。

"现在是冬季，上林苑只有腊梅、水仙等当季的花开放。"太平公主说。

这时，有个太监讨好说："大约花仙不知万岁要来赏花，不如下一道旨，明

rì zì rán bǎi huā qí fàng
日自然百花齐放。”

wǔ hòu yì tīng sì hū chù dòng le xīn zhōng
武后一听，似乎触动了心中
yí gè jiǔ yuǎn de huí yì yú shì tí bǐ tí le sì
一个久远的回忆，于是提笔题了四
jù shī
句诗：

míng zhāo yóu shàng yuàn huǒ sù bào
“明朝游上苑，火速报
chūn zhī huā xū lián yè
春知；花须连夜
fā mò dài xiǎo fēng cuī
发，莫待晓风催！”

shàng lín yuàn de là
上林苑的腊
méi xiān zǐ hé shuǐ xiān xiān zǐ
梅仙子和水仙仙子
jiàn dào yù zhǐ jí máng dào
见到御旨，急忙到
dòng zhōng bǐng gào shéi zhī bǎi huā xiān zǐ
洞中禀告，谁知百花仙子
bú zài dòng zhōng zhòng huā xiān gǎn máng fēn tóu
不在洞中。众花仙赶忙分头
qù zhǎo bǎi huā xiān zǐ wú nài péng lái shān dòng fǔ zhòng duō wú chù xún
去找百花仙子。无奈蓬莱山洞府众多，无处寻
zhǎo yǎn kàn qī xiàn jiù yào dào le táo huā xiān zǐ děng hài pà kàng zhǐ bèi biǎn jué dìng zūn zhǐ
找，眼看期限就要到了。桃花仙子等害怕抗旨被贬，决定遵旨
kāi fàng
开放。

dì èr tiān zǎo shang gōng zhōng gè chù bǎi huā qí fàng wǔ hòu fēi cháng gāo xìng lì jí dài
第二天早上，宫中各处百花齐放，武后非常高兴，立即带
rén lái dào shàng lín yuàn zhǐ jiàn mǎn yuán qīng cuì yíng mù hóng zǐ xí rén zhēn shi jǐn xiù qián kūn
人来到上林苑。只见满园青翠萦目，红紫袭人，真是锦绣乾坤，
huā tuán jǐn cù
花团锦簇。

zhè shí bǎi huā xiān zǐ zhèng hé má gū xià qí hū rán tīng jiàn nǚ tóng bào gào shuō dòng wài
这时百花仙子正和麻姑下棋，忽然听见女童报告说，洞外
bǎi huā kāi fàng tā bù jīn dà jīng shī sè qiā zhǐ yí suàn zhī dào le qián yīn hòu guǒ
百花开放。她不禁大惊失色，掐指一算，知道了前因后果。

yù dì de zhǐ yì hěn kuài jiù xià lái le qún fāng qū cóng xià jiè dì wáng jiǔ hòu xì
玉帝的旨意很快就下来了：“群芳屈从下界帝王酒后戏
yán wéi fǎn shí lìng bǎi huā qí fàng bǎi huā xiān zǐ hé zhòng huā xiān dōu yǒu guò cuò biǎn wǎng
言，违反时令，百花齐放，百花仙子和众花仙都有过错，贬往
rén jiān
人间。”

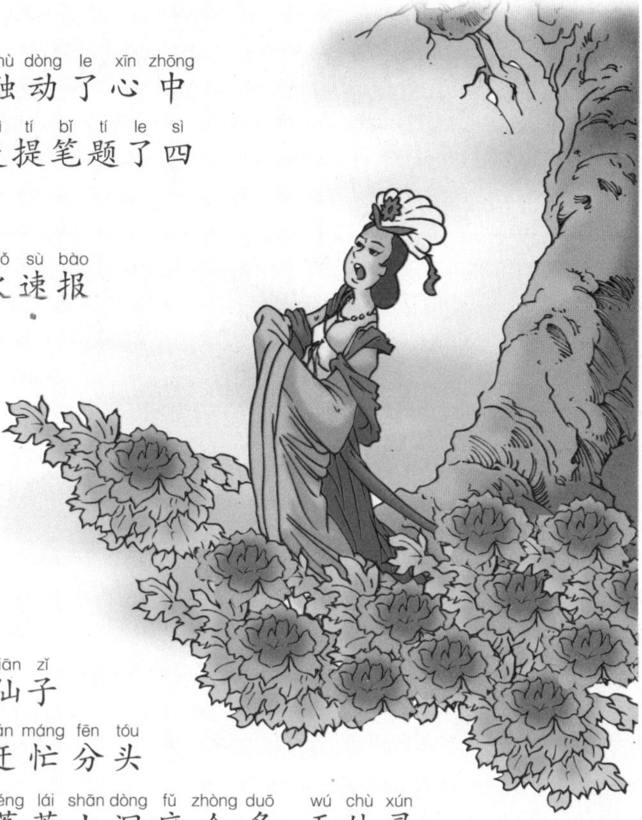

ā lǐ shān hé jiě mèi tán
阿里山和姐妹潭

zǔ guó de bǎo dǎo tái wān yǒu yí gè jiǔ yuǎn ér měi
祖国的宝岛台湾有一个久远而美

lì de chuán shuō nà jiù shì ā lǐ shān hé jiě mèi tán
丽的传说，那就是阿里山和姐妹潭

de gù shi
的故事。

hěn jiǔ hěn jiǔ yǐ qián zhè lǐ bìng méi yǒu ā lǐ
很久很久以前，这里并没有阿里

shān zhǐ yǒu yí dà yì xiǎo de liǎng wāng qīng tán tán zhōng
山，只有一大一小的两汪清潭。潭中

liú shuǐ bì lǜ qīng chè shuǐ shēng rú yuè qǔ bān měi miào
流水碧绿清澈，水声如乐曲般美妙

dòng tīng gāo shān zú rén mín zǔ zǔ bèi bèi dōu shēng huó
动听。高山族人民祖祖辈辈都生活

zài liǎng tán biān qīng chén tā men yíng zhe chū shēng de tài
在两潭边。清晨，他们迎着初升的太

yáng lái dào tán biān tiāo shuǐ xǐ yī bàng wǎn tā men yòu bàn zhe wǎn xiá de yú huī zài tán biān tiào
阳来到潭边挑水洗衣；傍晚，他们又伴着晚霞的余辉在潭边跳

wǔ chàng gē tā men jiù shì zhè yàng xìng fú de shēng huó zhe
舞唱歌。他们就是这样幸福地生活着。

rán ér yǒu yì tiān zhè xìng fú de shēng huó què bú xìng bèi dǎ pò le
然而有一天，这幸福的生活却不幸被打破了。

yí gè míng yuè jiǎo jié de wǎn shang jǐ shí míng qīng nián zhèng wéi
一个明月皎洁的晚上，几十名青年正围

zuò zài tán biān zài gē zài wǔ tū rán tán zhōng xiān qǐ yì gǔ jù
坐在潭边载歌载舞。突然，潭中掀起一股巨

làng bǎ dà jiā xià de sì chù táo sàn
浪，把大家吓得四处逃散。

yuán lái yǒu sān zhī shuǐ niú bān dà xiǎo de qīng wā zhèng zài
原来，有三只水牛般大小的青蛙正在

tán zhōng xì shuǐ zhè sān zhī qīng wā yǔ pǔ tōng de qīng wā bìng bù
潭中戏水。这三只青蛙与普通的青蛙并不

yí yàng tā men dèng zhe yǎn jīng zhāng zhe dà zuǐ yàng zi xiōng
一样，它们瞪着眼睛，张着大嘴，样子凶

měng kě pà hái bù shí de cuān lái cuān qù shí èr zhī jiǎo cǎi de
猛可怕，还不时地蹿来蹿去，十二只脚踩得

àn biān de suì shí gē gē zuò xiǎng liǎng gè dǎn zi dà de rén
岸边的碎石"咯咯"作响。两个胆子大的人

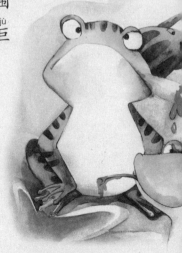

去岸边拿自己的衣服，手刚刚伸出去，怪蛙一下张开大口，咬住了他们的胳膊。他们拼命挣扎，最终还是被拖进潭中，悲惨地死去了。

打那以后，潭中经常可以听到可怕而奇怪的叫声，那里的人们整天都生活在痛苦与惊惶之中。人们再也不敢到潭边去玩了，就连挑水、洗衣都要到很远的地方去，天不黑就都关门闭户了。

在两潭对面的半山腰，住着一对姐妹。姐姐叫秀美，妹妹叫秀丽，两人聪明伶俐，貌似桃花。姐姐已经长大，到出嫁的年龄了，上门求婚的人每天都络绎不绝，可是秀美却从来不开门接待。

一天，一个小伙子带着两只硕大的肥鸭来到秀美家门外，说道："秀美！请你把门打开，收下我的礼物吧。"

话音刚落，门一响，秀美真的出来了。她双手递上一杯清凉甘甜的水，小伙子激动地接过水，一饮而尽，刚想说点什么，就听秀美说道："收下礼物不难，只是当前恶浪翻滚，鱼虾没有安宁；乌云满天，大地不见阳光。年轻的哥哥呀，你若想与我成亲，就要除掉那三只怪蛙。"

小伙子听了这番话，脸色由白变红，又由红变白。他想了好一会儿，最后还是胆怯地走了。

就这样，求婚的小伙子一个接着一个地来，又一个跟着一个地走掉了。他们都是胆小鬼，谁也没有降蛙的勇气和胆量。

姐妹俩看着高山族同胞饱受煎熬却无力解救，心里十分焦急。她们天天站在家门口看着怪蛙肆虐，满怀希望地期待着降蛙英雄的到来。

这一天，姐妹俩像往常一样守候在家门口。突然，地上滚过来一只死老虎的脑袋。

姐妹俩被突如其来的情景吓了一跳。抬头一看，原来是一位英俊威武的青年，身背弓箭来到她们面前。那弓箭在阳光的照耀下发出金灿灿的光，好一个打虎英雄！姐妹俩惊喜地看着他。

"善良美丽的秀美呀！我叫阿里，请你接受我的求婚礼物。"阿里指着地上的虎头说。

姐妹俩看着地上的虎头，又看看阿里，秀美被阿里的勇敢打动了。但是，她想到连日来从她面前走掉的许多青年，心里又能抱多大的期望呢？秀美什么也没说，只是双眼盯着潭边的三只怪蛙。

正在这时，大风骤起，乌云压了上来，眼看一场大

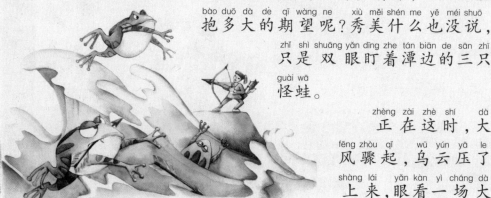

雨要来临了。借着闪电的亮光，秀美看到一张严肃而坚毅的脸庞：阿里早就明白了她在想什么。

"你们俩先回家避雨吧！等我降蛙成功，再来向你们报喜。"说着，阿里跳上一块大石头，张弓搭箭怒视着怪蛙。

秀美望着阿里矫健的身影，脸上露出了甜甜的微笑。

风雨中，阿里拉开弓箭，"嗖"的一箭射去，被怪蛙一口咬住；"嗖！嗖！嗖！"九枝箭射过去，又被怪蛙咬住；接连九十九枝箭射过去，结果九十九枝箭都被折断。

此时的阿里已经筋疲力尽，他坐在大石头上，望了望潭中依然肆虐的怪蛙，之后又看了秀美一眼。秀美充满信任的目光使阿里浑身充满力量，他紧握着拳头，在头顶上猛挥一下，发誓说："一天不除掉怪蛙，阿里一天不娶妻。"

秀美含情脉脉地看着阿里，眼睛湿润了。

阿里自言自语地说："用什么办法才能降住怪蛙呢？"

"去找玛祖婆！"一只美丽的西希利鸟对他说。说完，它拔掉身上的一根羽毛，丢在阿里的脚下，从椰树上飞走了。

西希利鸟在高山族人眼里被看做是祖先的化身，所以是非常神圣的。阿里心想：一定是祖先来指点自己了。于是他信心百倍，捡起地上的羽毛，对秀美说："我要走了，找不到玛祖婆我是不会回来的。"

"慢着！"秀美紧追两步，从自己身上取下了一串珍珠戴在阿里的脖子上。妹妹秀丽又拿来一根银针，秀美接过针，把自己的肖像刺在了阿里的胳膊上。两潭边的许多青年都用热烈的掌声为阿里送行。

阿里深情地向秀美告别，然后对着羽毛一吹，羽毛飞向天空飘走了。阿里紧追着羽毛，不久就不见了。

那天以后，姐妹俩日夜坐在门口望着阿里哥远去的方向，高山族的同胞也日夜守在两潭边等着阿里的归来。

那是一个晴朗的早晨，蓝蓝的天空飘来了一个人影，人影越来越近。

"啊！是阿里哥！阿里哥怎么长这么大了？"

"秀美！我的秀美，我回来了！"秀美正盯着阿里听他说

着，突然"轰"的一声，阿里哥在空中被炸开了。他慢慢落地，变成了大青石，压在了一只怪蛙的身上。怪蛙被压得连头都抬不起来，大叫一声死去了。另外两只怪蛙看到自己的伙伴死了，吓得慌忙跳入了水中。

秀美扑上去，紧紧地抱住大青石哭泣着："阿里哥呀！我天天想，夜夜盼，终于盼来了我们团聚的这一天，没想到……"秀美的泪水不住地往下流，围着大青石绕了一圈又一圈，最后流入潭中。

西希利鸟又轻轻地飞来。它告诉秀美：玛祖婆给阿里吃下了一颗宝石，所以他只能降住一只怪蛙。你们姐妹要再去找玛祖婆，才能除掉另两只怪蛙。说完，西希利鸟含着眼泪，又拔下一根羽毛飞走了。

姐妹俩看着变成大石头的阿里哥，难过极了，发誓要完成阿里哥的遗愿。她们紧紧追随着羽毛，终于在一个大岩洞里见到了玛祖婆。玛祖婆看着跪在地上乞求帮助的姐妹俩，深受感动。她从身上取出两粒发光的鱼心丸对她们说："这不是普通的鱼心丸，你们吃下后，会变成两条剑鱼刺死怪蛙。只是这样一来，怪蛙是除掉了，你们却再也享受不到人间的快乐了。"

秀美和秀丽听完玛祖婆这一番话，紧紧地抱在一起。秀美说："阿里哥，你为了高山族同胞的幸福，变成了大青石，我俩在人间无缘成为夫妻，就让我们回归大自然做伴侣吧！"说完，姐妹俩一人吃下一粒鱼心丸，变成了一大一小两条剑鱼，向两潭飞去。

姐妹俩盘旋在两潭上空，忽然看见一个小孩被怪蛙咬住，小孩的手脚在拼命地挣扎。大剑鱼立即用尾巴绕住小孩的腰一甩，小剑鱼用力刺中怪蛙的嘴，怪蛙嘴一松，孩子得救了。

两只怪蛙和两条剑鱼在水中展开激烈的搏斗，怪蛙力大凶猛，咬得小剑鱼遍体鳞伤。"妹妹，别怕！姐姐来帮你啦！"大剑鱼使劲地甩动着尾巴，想摆脱怪蛙的追击。

姐妹俩并肩战斗，顽强抗击。她们拼尽全力，用尾巴死死地缠住怪蛙，然后，姐妹俩又用自己尖尖的利剑刺向怪蛙的喉咙。

在一片助威声中，怪蛙终于被剑鱼刺死，慢慢地沉向潭底。随着怪蛙的下沉，姐妹俩也跟着沉向潭底，她们的血染红了潭水，大剑鱼沉在了大潭，小剑鱼沉在了小潭。就这样，人们把两潭改名为姐妹潭。

从此，两汪潭水又恢复了往日的平静。

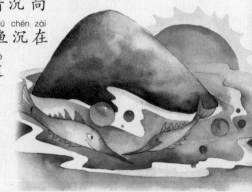

42

串红姑娘与香山红叶

很久以前，香山脚下住着父女俩。父亲禹晴每天上山采药，女儿串红则在家纺线，父女俩相依为命。

一天，串红对父亲说："爹，我想到香山顶上去看五彩云朵，回来把它织在布上，到时候一定能卖个好价钱。"禹晴老人常常为有这样心灵手巧的女儿感到骄傲，于是答应了女儿的要求。这天，父女俩直奔山顶攀去。

可是香山太高，刚到半山腰，串红姑娘已经汗流浃背。又走了一会儿，串红口渴极了，实在走不动了。父亲对她说："孩子，忍耐一下吧！到了山顶，我给你挖'苦露儿'喝。"串红耐住口渴，继续登山。

香山本是个游玩的好地方，现在却人烟稀少了。因为这山里有条大青蛇。几年前，它偷吃了古灵芝，成了一条能大变活人的青蛇，经常在山里欺骗游客，渐渐地，游客都不到这里玩了。

串红父女俩上山的时候，青蛇正趴在盘石上晒鳞甲。看到从山下来了一位如花似玉的姑娘，它想把姑娘弄到手做媳妇。青蛇正在想的时候，忽然听到串红说道："爹爹，我实在渴得受不了了。"

青蛇灵机一动，赶忙从头上摘下几颗红珠向空中一抛。顿时，一棵结满红山杏的树出现在串红面前，串红喜笑颜开。夏天，山杏挂满枝头，果实累累。但这时正值秋季，按理说山杏早熟过了，怎么还会有山杏呢？

禹晴老人也不禁感到奇怪。他摘下一串山杏，闻了闻，果真是一串熟透了的山杏，于是递到串红手里，说："孩子，吃吧！"

串红实在渴极了，接过山杏，一坐下便迫不及待地吃起山杏。老人拿出旱烟来抽，谁知烟味一喷出，树上的红山杏全部落下来。串红弯腰刚要捡，红山杏已经变成了一个个蛇蛋。串红吓坏了。

老人说了声："不好！孩子，快走！"

可这时，串红因为吞吃了红山杏，满脸通红，嘴唇也发紫。走了没多远，串红就支持不住晕倒在地。禹晴老人立刻抱起女儿，把她放在平坦的石头上。老人担心女儿被虫咬，将烟包打开，在串红周围撒了一圈烟叶，然后就匆匆地离开去找解药了。

串红中毒倒下了，大青蛇别提有多高兴了。它来到串红身边，却怎么都不能靠近，因为只要它向前一走，烟味就一下把它呛回来。大青蛇气急败坏地打起别的主意：那老头儿肯定是去求菩萨找解药了。

想到这，大青蛇抢先赶到老人前面，摇身一变，变出一座九天玄女庙，当上了"九天玄女娘娘"。

禹晴老人救女心切，看到玄女娘娘，跪倒就拜："娘娘快施恩救救我的女儿吧！"老人身上的烟味呛得"娘娘"的嘴里吐出了"蛇信子"。"蛇！蛇！救命呀！"禹晴老人边喊边往山下跑，一不小心跌下了山崖。

不知过了多久，昏迷的串红隐约中看见一道闪电划过，之后，有九朵祥云飘了过来。祥云过后，一位仙姑在众仙女的簇拥下来到串红的身边。仙女们纷纷摘下身上的仙露递给仙姑，仙姑接过来滴到串红的脸上。等了几分钟，串红醒过来了。她感激地望着大家。突然串红发现爹爹不在自己身边，她一下子站起来，对着山谷大声地呼喊爹爹，仙姑对串红说："小姑娘，你的父亲已经被青蛇害死了。不过你千万不要太悲伤，我们会给你父亲报仇的。"

这时，有两位仙女押着大青蛇来到仙姑娘娘面前说："回禀娘娘，这蛇竟敢冒充娘娘出来害人，请娘娘处置。"

串红想到爹爹的死，就要同青蛇拼命。娘娘急忙拦住她，然后伸出左手对着青蛇一挥，青蛇被劈成两半，随即变成小山卧在山下，这就是现在的青龙山。大青蛇再也不能害人了，串红要把这个好消息告诉父亲。她在山上山下跑了一圈又一圈，不停地呼喊，把嗓子都喊破了，喉咙咳出殷红的鲜血，可是始终没有见到父亲的身影。串红忍不住哭起来，眼泪掉在地上，化作了颗颗红珠。

最后，串红用尽最后一点力气找到了父亲的尸体。后来，在串红落泪的地方长出了许多黄栌树，长满了红叶。每到秋天，漫山遍野的红叶引来四方游客，人们收藏着红叶，也赞美着串红姑娘。

机智的红狐狸

穷孩子宝罗勒代是个无家可归的孤儿。他住在小窝棚里,靠打猎勉强维持生活。

一天,他碰到一只正被猎手们围堵的红狐狸。红狐狸无路可逃,苦苦央求宝罗勒代,说:"救救我吧,小哥哥!我已经失去了父母兄弟,现在又要被猎人捕获了。求求你,看我这么可怜,救救我吧!"说着,红狐狸伤心地哭了起来。

宝罗勒代听到红狐狸的身世跟自己一样悲惨,于是他心一软,就把红狐狸藏了起来。

猎人们没有找到红狐狸,快快地离开了,红狐狸保住了性命,他十分感激这个穷孩子,可一时又不知道该怎样表达自己的谢意,只好恋恋不舍地离开了宝罗勒代家。

两天后,红狐狸又来找宝罗勒代,说:"小哥哥,你的心地这样善良,生活却这样贫苦。我有办法能让你过上好日子,还能让胡尔木苏特大帝把公主送来给你做媳妇。好不好?"

宝罗勒代吓了一跳,赶忙

说道："你可千万别胡说啊！我是个穷孩子，娶不起媳妇的，更不敢与公主成亲。"

红狐狸主意已定。他来到天上找到胡尔木苏特大帝，故作神秘地说："大帝，谁都知道在天上属您最富有，可是您不知道，地上有一个更富有的大富翁宝罗勒代。今天我特意来向您借戥子，就是想要称一称他的财富究竟有多少。"

人间竟然有比自己还富有的人！大帝还是头一次听说，他想弄个明白，于是毫不犹豫地把戥子借给了红狐狸。

红狐狸在小窝棚里住了下来，每天拿着戥子到河边的沙子和石子上去磨、去蹭。宝罗勒代非常纳闷，始终想不明白红狐狸要做什么。

这天，红狐狸要去还戥子，临走时，他让宝罗勒代把全部家当都卖了。之后，他自己揣上换回的五两银子，冲着小哥哥神秘地笑了笑就走了。

宝罗勒代看着空荡荡的家，有些后悔了，仅有的五两银

^{zǐ yě bèi hóng hú li ná zǒu le} ^{yǐ hòu de rì}
子也被红狐狸拿走了，以后的日
^{zi kě zěn me guò ya}
子可怎么过呀？

^{hóng hú li lái dào tiān shàng jiàn dào dà dì}
红狐狸来到天上见到大帝。
^{dà dì jiē guo děng zi yí kàn liǎng zhī yǎn jing lì}
大帝接过戥子一看，两只眼睛立
^{jí mǐ chéng le yì tiáo fèng er dà dì zì yán zì}
即眯成了一条缝儿。大帝自言自
^{yǔ de shuō zhè bǎo luó lè dài jiā kě zhēn shi}
语地说："这宝罗勒代家可真是
^{fù yǒu a wǒ de děng zi jìng rán dōu mó sǔn chéng zhè}
富有啊！我的戥子竟然都磨损成这
^{yàng le}
样了。"

^{hóng hú li chéng jī ná chū wǔ liǎng yín zi shuō xiè xie dà}
红狐狸乘机拿出五两银子说："谢谢大
^{dì jiè wǒ děng zi zhè wǔ liǎng yín zi nín shōu xià ba wǒ kě bu kě yǐ tí gè jiàn yì}
帝借我戥子，这五两银子您收下吧！我可不可以提个建议？"

^{nǐ shuō ba}
"你说吧！"

^{nín yīng gāi bǎ gōng zhǔ xǔ pèi gěi bǎo luó lè dài zhè yàng tiān shàng dì xià de cái fù}
"您应该把公主许配给宝罗勒代，这样，天上、地下的财富
^{jiù dōu shì nín de le}
就都是您的了。"

^{dà dì shì gè jiàn cái yǎn kāi de rén xīn xiǎng zhè hóng hú li shuō de}
大帝是个见财眼开的人，心想：这红狐狸说得
^{duì ya}
对呀！
^{hǎo zhè ge jiàn yì zhēn shi tài hǎo le bú guò nǐ yào xiān bǎ rén}
"好！这个建议真是太好了，不过你要先把人
^{dài lái ràng wǒ kàn yi kàn cái xíng}
带来让我看一看才行。"

^{zūn mìng hóng hú li xīn li měi jí le fēi yě}
"遵命！"红狐狸心里美极了，飞也
^{shì de pǎo huí bǎo luó lè dài jiā tā dūn zài xiǎo gē ge de}
似的跑回宝罗勒代家。他蹲在小哥哥的
^{shēn biān bǎ shì qíng cóng tóu dào wěi jiǎng le yí biàn zuì hòu}
身边，把事情从头到尾讲了一遍，最后
^{shuō zán liǎ xiàn zài jiù dòng shēn qù jiàn dà dì}
说："咱俩现在就动身去见大帝。"

^{hóng hú li jiān chí zhè yàng zuò bǎo luó lè dài zhǐ hǎo}
红狐狸坚持这样做，宝罗勒代只好
^{gēn zhe tā qù le}
跟着他去了。

眼看快到大帝的宫殿了，红狐狸心想：小哥哥这身破烂打扮，怎么去见大帝呢？它想了一会儿，对！有了！红狐狸笑着说："小哥哥，先委屈你一下。"说完，红狐狸轻轻地把宝罗勒代推进了小泥塘，而后大喊大叫地跑进了宫："大帝，不好啦！新女婿掉进泥塘了，您快派人去救他吧！"大帝连忙下旨，让人带上衣物去救人。

宝罗勒代被救上来了。他骑在马上，也换上了贵族华丽的服装。红狐狸凑上前叮嘱他三件事。

大帝的宫殿富丽堂皇，金光闪耀。穷孩子到了这里就像到了天堂，他惊叹不已，早已把红狐狸嘱咐的三件事情忘在了脑后。胡尔木苏特大帝看着自己未来的女婿这副模样，心里不免产生怀疑：这哪里像个富翁啊？分明是个穷小子！

于是，大帝气哼哼地去找红狐狸算账。红狐狸听完，哈哈大笑起来："大帝，这个您就不懂了。您的马和衣服没有他家里的好，他打量它们是想有朝一日给您换上好的；天上的饭没有地上的饭好吃，他又不好意思给您难堪，才不得不发出响声以解心头不快。"

听红狐狸这么一说，大帝觉得有理，看来人间和天上的确是有区别的，于是便答应了这门亲事。

这样一来，宝罗勒代急了，他慌忙找到红狐狸恳求说："快想办法吧，要是让大帝知道我是个穷孩子可是欺君之罪，咱俩的命都保不住了。"

"小哥哥，你不用害怕，踏踏实实地在宫里待着。我会给你带来好消息的。"宝罗勒代一把没拦住，红狐狸走了。

红狐狸去了大草原，美丽的大草原是牧民放牧的好地方。红狐狸看到骆驼倌走过来，问道："这么多的骆驼是谁家的？"

"这是蟒古思家的。"骆驼倌没好气地说。

"唉，我告诉你，大帝就要下来抓他了。你给他家放牧会受牵连的，如果你说这骆驼是宝罗勒代家的就不会有事。"骆驼倌感激地点了点头。一群马从红狐狸身边走过，红狐狸问马倌："你这是给谁家放牧呢？""十五个头的蟒古思家，放一天牧也吃不上一顿饱饭。"马倌生气地说。"我告诉你，以后别说这是蟒古思家的马，而要改说是宝罗勒代家的。这样你就会有好日子过。"

红狐狸在大草原上继续走着，迎面来了个牛倌，身后跟着一大群牛。他拦住牛倌问："你放的牛可是十五个头的蟒古思家的？""对呀！我家欠了他家的债，所以我就来给他放牛了。"牛倌难过地

说。"你以后千万别再告诉人说这牛是蟒古思家的，而要说是富翁宝罗勒代家的。""为什么？""如果你不这样说，就会招来杀身之祸的，知道吗？"

红狐狸最后要找的就是大牧主蟒古思，他可是一个贪得无厌、专门欺压牧民的坏蛋。"红狐狸！你来我这里做什么？"蟒古思傲慢地问。"天上的胡尔木苏特大帝听说你在人间干尽坏事，要来砍你的脑袋。我是跑来给你报信的。"平日里，蟒古思干尽了坏事，一听大帝要来杀他，吓得来不及多想就问红狐狸："你说我躲到哪里安全呢？"

红狐狸四下瞧瞧，计上心来：羊棚是个好地方。他用手一指："你就躲在那儿吧！"于是，蟒古思乖乖地钻进了羊棚，红狐狸用一块大石头把门挡好。

安排好了蟒古思，红狐狸又来到仆人中间，对他们说："大帝要来杀你们的主人。如果大帝知道你们是他的仆人，说

不定还会处罚你们。你们若说是宝罗勒代的仆人就没事了。"仆人们表示照着说就是了。

这一天，晴空万里，胡尔木苏特大帝带着公主来了。他看着草原牧业这样兴旺发达，就与牧民们打起招呼来："你们为哪个牧主放牧呀？"

"大富翁宝罗勒代。"牧民齐声回答。大帝听了，满心欢喜，继续往前走。来到蟒古思的宫殿前，正巧几个仆人出来，大帝问道："这房子好气派，你们的主人是谁呀？""是天下的大富翁宝罗勒代。"仆人们齐声说道。

胡尔木苏特大帝真的相信了。在一旁的红狐狸便对大帝说："您有所不知，要不是有一个坏蛋嫉妒您的女婿，他会比现在更富有的。"

"有人害我的女婿，这个人在哪儿？"大帝的脸一下子沉了下来。"大帝，这坏蛋就躲在羊棚里，只有你才能治得了他。"

大帝听罢，抬起头来对着天空说："打雷，快快打雷！劈死羊棚里的坏蛋。"一阵电闪雷鸣过后，羊棚被炸开了花，遭万人恨的蟒古思丧了命。就这样，机智的红狐狸借大帝的手惩治了恶人蟒古思。宝罗勒代娶了大帝的女儿，他们与红狐狸一起过着幸福的生活！

shào lín sì de lái lì
少林寺的来历

zhōng yuè sōng shān yǒu tài shì shān
中岳嵩山有太室山

hé shào shì shān zhè liǎng tiáo zhī mài
和少室山这两条支脉。

chuán shuō zài běi wèi xiào wén dì de
传说，在北魏孝文帝的

shí hou yǒu sān gè rén zài liù yuè
时候，有三个人在六月

liù rì fēn bié cóng sān gè bù tóng de
六日分别从三个不同的

fāng xiàng dēng shān qù guān kàn shào shì
方向登山，去观看少室

shān de qí jǐng cóng nán bian shàng shān de shì yí gè liù shí duō suì de yīn yáng xiān sheng cóng běi
山的奇景。从南边上山的是一个六十多岁的阴阳先生；从北

bian shàng shān de shì yí gè shēn gāo qī chǐ de zhōng nián hé shang cóng xī bian shàng shān de zé shì
边上山的是一个身高七尺的中年和尚；从西边上山的则是

yí gè liú zhe shān yáng hú zi de cái zhu
一个留着山羊胡子的财主。

zhè sān gè rén kuài yào zǒu dào lián tiān fēng de shí hou tiān qì tū rán biàn le liǎn kuáng fēng
这三个人快要走到连天峰的时候，天气突然变了脸。狂风

juǎn zhe nóng wù xiàng tā men yíng miàn pū lái tā men zhǐ hǎo bèi xiàng fēng dǐng dào tuì zhe xiàng lián
卷着浓雾，向他们迎面扑来。他们只好背向峰顶，倒退着向连

tiān fēng zǒu qù yóu yú dāng shí yún wù méng méng sān gè rén dōu méi yǒu kàn jiàn duì fāng tā men
天峰走去。由于当时云雾蒙蒙，三个人都没有看见对方。他们

fēn bié tuì zhe zǒu dào le lián tiān fēng dǐng zài yí kuài gǔ xíng shí shang bèi duì bèi zuò le xià lái
分别退着走到了连天峰顶，在一块鼓形石上背对背坐了下来。

sān gè rén gāng zuò xià bù jiǔ jiù tīng dào yún céng li yǒu rén
三个人刚坐下不久，就听到云层里有人

shuō huà tā men tái tóu wǎng shàng yí kàn zhǐ jiàn yún céng li yǐn
说话。他们抬头往上一看，只见云层里隐

yuē xiàn xiàn chū yí zuò xióng wěi zhuàng guān de gǔ sì gǔ sì
约显现出一座雄伟壮观的古寺，古寺

de dà mén shang xuán guà zhe yí kuài xiě yǒu zhú lín sì sān
的大门上悬挂着一块写有"竹林寺"三

gè jīn sè dà zì de biǎn é gǔ sì qián zhàn zhe liǎng gè
个金色大字的匾额。古寺前站着两个

hé shang zhè shí xiǎo hé shang wèn lǎo hé shang shī fu zhú
和尚。这时，小和尚问老和尚："师父，竹

林寺已经升天了，世上还有其他的佛寺吗？"老和尚笑着说："当然有！天上有竹林，天下有少林嘛。"

小和尚惊奇地问："天下还有一个少林寺，我怎么不知道？它在哪儿？"

老和尚伸出右手食指，往云下一指，说："佛寺就位于少室山北麓密林丛里。"

天上老和尚说的话，鼓形石上坐着的三个人都听得一清二楚。他们顺着老和尚所指的方向望去，只见少室山北麓的云海里果然呈现出一座殿宇层层的寺庙。过了一会儿，云消雾散，天上的和尚和寺庙也随之消失了。

三个人愣了好一会儿，才各自沿着原路下山。他们三个人听了天上和尚的谈话，心里都明白呈现少林寺的那个地方是一块风水宝地，然而他们各有不同的想法。阴阳先生想要把这块宝地弄到手做墓地，以后他的家里就可以出达官贵人；财主想把这块宝地占为己有，建宅院，以后就能够财运亨通；和尚也想得到这块宝地建佛寺，这样就能让天上显现的幻影变成现实。

三个人到山下时，天已经黑了，他们各自找了个旅馆住下来，打算明天去抢占风水宝地。和尚睡到后半夜，就再也睡不着了，于是去少室山北麓查看宝地地形。

他借着月光看到宝地上并排长着两株松柏，"这一定就是宝心了。"说完，和尚在两株松柏间挖了一个坑，将自己的一只鞋埋在坑里作为记号后，转身走了。天亮后，阴阳先生来到少室山北麓，他也选中了两株松柏之间的那块地，并折了一根树枝插在地上作为记号。

太阳升起的时候，财主才来到少室山北麓，他同样选中了两株松柏之间的那块地。他看见两树之间的地上插着一根树枝，于是就把自己的帽子取下来挂在树枝上，然后离开了。

三天后，三个人各自带着人来宝地破土动工。他们一见面就互相争吵起来，都说是自己最先占下这块宝地的。这时，孝文帝正好经过这里，得知他们争吵的原因后，问："你们都有什么凭据，证明这块地是自己先占下的呢？"

和尚说他的凭据是鞋，阴阳先生说是树枝，财主则说是帽子。

孝文帝听后，想了想说："帽子挂在树枝上，证明是树枝先插在地上的；树枝插在鞋子里，证明是鞋子先埋进地里的。埋下鞋子的人，才是最先占下宝地的。"

阴阳先生和财主听了皇上的话后，灰溜溜地走了。后来，孝文帝就问起和尚的来历，这才知道和尚原来是印度的高僧佛陀。孝文帝很器重佛陀，加派了很多官员来协助他建寺，寺庙建成后就取名为"少林寺"。

雨花石

南京的雨花石特别漂亮。关于雨花石，民间流传着这样一个故事：三国的时候，孙权做了东吴的君主，由于他管理有方，人民一直过着安居乐业的生活。有一天，南京城里来了一位印度僧人。他看这南京城风景怡人，于是就在长干桥边大兴土木，要建造一座阿育王寺庙。

孙权向来不信佛，所以得知这个消息后，非常生气，立即派人把那个印度僧人抓来，下令处斩。

这时，僧人从容地说："尊敬的君主，你先不要杀我。我是佛祖释迦牟尼的弟子，我可以帮你求到珍贵的舍利子。"

"什么是舍利子？"孙权好奇地问。

"佛祖的佛牙就是舍利子，是世上最稀奇珍贵的东西。"僧人回答。孙权听印度僧人说得这么神奇，也很想见识见识舍利子，于是点头同意了。不过孙权限定僧人在七天之内交来舍利子，如果他能按时上交，就准许他建造阿育王寺庙；如果超过期限，就将他斩首示众。

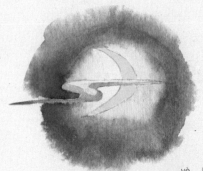

僧人满口答应，立即到南面的山冈上搭了一个高高的祈祷台，整日整夜地在台上祈求着。时间一天天过去了，一切非常平静，什么事情也没有发生。到了第七天的夜里，突然天上"哗啦哗啦"地下了一阵石头雨。僧人赶紧拿起一块石头，仔细看了看，然后非常失望地叹了一口气说："这只是一些普通的石子。"

第二天，孙权迫不及待地把僧人叫来，问道："七天的期限已经到了，你快点把舍利子拿来给我看看。"

僧人无奈地摇了摇头说："我昨天只求到一堆石子，并没有舍利子。"

"什么？你竟敢耍弄我？来人啊，把这个妖言惑众的妖僧推出去斩首！"孙权瞪大了眼睛，气急败坏地叫了起来。

僧人看孙权生气了，赶紧跪在地上请求说："请君主再宽限我七天时间，这次我一定能求到舍利子，出家人是从来不说谎话的。"

孙权看僧人的态度这么诚恳，而且他对舍利子也很好奇，于是又点头同意了。

僧人仍旧回到祈祷台上，夜以继日地虔诚祈祷着。前六天，依然什么动静也没有，直到第七天夜

里，天上又"哗啦哗啦"地落下了一堆圆石子。僧人赶紧拿起一个，仔细看了看，仍然是一些普通的石子，只不过这次落下的石子有五彩缤纷的颜色，非常漂亮。

第二天一早，僧人挑选了一些红、蓝、绿等五颜六色的石子去见孙权。孙权看到这些花花绿绿的圆石子，好奇地问："这就是你求到的舍利子吗？"

僧人如实地说："这只是普通的石子，并不是舍利子。"

孙权一听，生气地说："你敢拿这些东西来糊弄我？"说完又要杀僧人。

僧人再次请求说："您给我最后一次机会吧！如果七天之内我还求不到舍利子，我也不想活了。"

孙权想了想，最后还是答应了。不过这次孙权派了很多士兵在祈祷台下日夜守候着，只要僧人在约定的期限内没有求到舍利子，就立即将他杀死。

到了第三个七天的夜里，僧人站在祈祷台上焦急地等待着，可是这次，天上一点动静也没有。僧人急得满头大汗，一会儿抬头看看天空，一会儿低头望望台下来回走动的士兵。眼看天就要亮了，可还是没有舍利子的踪影。

僧人心想：只怪我学艺不精，现在我早晚都得死，与其被孙权斩首示众，还不如我自行了断。想到这儿，僧人就要从高高的祈祷台上往下跳。正在这时，忽然从天上"哗啦哗啦"落下了很多光滑圆润的舍利子来。

僧人高兴极了，连声高呼"上天助我"。他把这些舍利子装进铜盆里，然后兴冲冲地捧着它去拜见孙权："舍利子求到了！"孙权一看这铜盆里大大小小的石子，没什么稀奇，于是生气地说："这就是舍利子啊？恐怕是假的吧！"

僧人急忙解释说："这可是千真万确的舍利子。因为它是佛祖的精华，所以坚硬无比。如果是假的舍利子，只要用铁锤随便一砸就碎了；真的舍利子放在铜盆里，用大铁锤使劲砸，铜盆破而舍利子完好无损。不信您可以试一试。"

孙权立即叫人拿来铁锤，一砸，只见铜盆被砸得粉碎，舍利子却丝毫未损。就这样，孙权相信了僧人的话，不仅没有治僧人的罪，而且还允许他在长干桥边建造阿育王寺庙，舍利子就放在这座寺庙的宝塔上。没过多久，那位僧人曾经祈求舍利子的山冈上，生成了很多五彩缤纷的小石子。大家就把那座山冈叫做石子山，祈祷台叫做雨花台，那些色彩艳丽的小石子就叫做雨花石。后来，阿育王寺庙到了唐朝的时候倒塌了，有人把宝塔里的舍利子拿了一部分放在镇江北固的铁塔里。

měi lì de zhuàng jǐn
美丽的壮锦

在景色秀美的壮族地区，住着一位名叫妲迷的中年妇女。她是一个远近闻名的织壮锦高手。妲迷有个儿子叫特伦。特伦刚生下不久，他的父亲就死了。

渐渐地，特伦长大了。一天，特伦对妲迷说："妈妈，您织的壮锦这么漂亮，为什么咱们家不留下一幅呢？"妲迷难过地说："我们家穷，只有把壮锦卖了才能换粮食。"

特伦说："妈妈，我现在长大了，可以去山上砍柴打猎来换粮食。您就安心在家里织一幅好壮锦吧。"从此，妲迷整天待在家里织壮锦，特伦则天天上山砍柴、打猎，换粮食养活母亲。就这样过了七七四十九天，妲迷的壮锦终于织好了。这幅壮锦织得可真漂亮啊！壮锦上有高挂空中的红太阳、飞翔的小鸟，还有青山绿水和正在温暖的阳光下辛勤劳动的壮族人民。

村里的人得知妲迷又织出了一幅好壮锦，纷纷赶来观看。这时，有个人提议说："屋里的人多得挤不下了，干脆把壮锦挂到院子里，让大家一饱眼福。"

妲迷点头同意了，于是，大伙帮忙把她的壮锦抬出来，挂在院子里的竹竿上。大家一边欣赏，一边不停地称赞。正当他们看得入迷的时候，突然刮来一阵大风，把

壮锦带到天上，往东南方向吹走了。妲迷看到自己辛辛苦苦织出来的壮锦不见了，急得号啕大哭起来。特伦看母亲哭得这么伤心，对母亲说："妈妈不要哭了，我去把壮锦找回来。"

第二天早上，特伦带上弓箭，背上砍刀出发了。特伦朝着壮锦飞去的方向走啊走啊，每到一个村庄，就要向乡亲们询问壮锦飞走的方向。一天傍晚，他来到了一座山前。这座山下住着一位满头白发的老婆婆。特伦告诉老婆婆，说："我是来找壮锦的，请您告诉我上山的路怎么走啊？"老婆婆说："这山上有一条吃人的大蛇。我活了九十多岁，也没有看见有人翻过这座山。"

特伦坚持要过去，老婆婆看这个孩子态度这么坚决，就给他指明了道路。

第二天，特伦按照老婆婆指点的方向向山上走去。走着走着，他突然被什么东西绊了一下，摔倒了，随即一张软软的皮把他紧紧地缠住了。特伦知道自己碰上大蛇了，于是，他赶紧抽出砍刀向蛇身砍去。蛇被砍成两截，躺在地上不动了。特伦成功地翻过了这座大山。

他又继续往前走了几天，最后来到了波涛汹涌的大海边。特伦向住在海边的乡亲询问壮锦的下落，乡亲们告诉他，刮大风那天，看到一幅美丽的壮锦飘到海对岸的高山上去了。特伦向乡亲们借了一艘船，划过了汹涌澎湃的大海，下了船立即向山顶上爬去。不一会儿，他爬到了山顶，看见一座富丽堂皇的宫殿，宫殿里正挂着那幅美丽的壮锦。壮锦下面坐着四个仙女，正在照着母亲的壮锦学着织呢。特伦走进去，生气地问："你们为什么要偷我妈妈的壮锦？"

一个仙女看见特伦来了，笑眯眯地说："我们看见你母亲织的壮锦实在是太漂亮了，就想借来照着织。我们很快就织好了，一会儿就给你妈妈送回去。"没过多久，仙女们就把壮锦织

好了，并且还亲自护送特伦和壮锦回到家。村里的女孩们听说妲迷的壮锦找回来了，个个都来照着学。从此，美丽的壮锦代代相传，一直流传至今。

吝啬鬼的故事

从前，在倪林山下住着一个远近闻名的大财主林萨善。这个人见钱眼开，爱财如命，专门敲诈勒索穷人。百姓们暗地里都骂他是"吝啬鬼"。

一天，吝啬鬼决定在山坡上建一个粮库，可是他却始终找不到做工的人。几天以后，庄里来了一群逃荒避难的穷人，吝啬鬼有了主意。他迈开八字步，眯起那双小眼睛，假意来"看望"大家，说道："想必你们是来找碗饭吃的，可眼下正是大旱之年，粮食颗粒未收，你们走到哪里都是一样的，不如到我家来，帮我脱脱土坯，做个短工，我这里正缺人手呢。虽然我无力付给你们工钱，但我能保证让你们都吃饱饭。"很多难民都已经饿了三四天了，一听说有饭吃，想都没想就跟着吝啬鬼去了。

短工们看到吝啬鬼家的宅子就知道他是个富有的人。大家心想：总算有个落脚的地方了，虽说不给工钱，但吃喝

64

是不会有问题的，说不定逢年过节，主人发善心还会施舍一些呢！

吝啬鬼把短工们带回家以后，对妻子说："早饭是要管饱的，否则他们就没有力气干活了。"于是，吝啬鬼的妻子为每个短工准备了两碗干饭、一碗稀粥和一块咸菜。短工们早已饿坏了，顾不上多想，吃完饭便去脱土坯了。一干就到了中午，大家累得汗流浃背，饥饿难忍，只盼着主人来叫大家收工吃饭。

主人真的来了，可是他并不是来叫大家吃午饭的。

吝啬鬼早已看到土坯脱得差不多了，只需再干一会儿就够用了，这样便能够在晚饭之前打发他们走。吝啬鬼拄着拐杖，皮笑肉不笑地说："大家干得不错，也一定累了，为了让大家踏踏实实吃顿午饭，各位再坚持一下，把土坯脱完，下午就不干了。"短工们没有办法，只好抡起胳膊，勒紧裤带继续干起来，直到把土坯脱满全场。

终于盼到该吃中午饭了，却只有一锅稀饭摆在大家面前。这是怎么回事呢？原来吝啬鬼估计活已经差不多都干完，就不怕短工们消极怠工了，于是只让他的妻子煮了一锅稀饭。

这稀饭怎么能充饥呢？有人说：“八成我们是遇上吝啬鬼了，在来的路上，不是有好多人在传说吝啬鬼的故事吗？”

一个有心计的人站起来出主意说：“不管他是不是吝啬鬼，我们都要治治他！”大家拍手赞成。

此时的吝啬鬼正独自一人看着那一排排整齐的土坯，盘算着建粮库的计划，嘴角边不知不觉露出了一丝得意的微笑。

突然，从厨房里传来一阵吵闹的声音。吝啬鬼赶过去一看，只见短工们互相骂着，扭打在一起。

“你们别打了，要是把我家的东西毁坏了，看我怎么罚你们！”说完，吝啬鬼把短工们都轰了出去。

短工们把锅碗瓢盆拿在手里，一边摔打，一边顺势来到院子里。看着这些用钱买来的东西被打碎，吝啬鬼心疼极了。他扯着嗓子跺着脚拼命地喊：“我的锅呀！我的盆呀！你们赶快给我放下！快放下！”

短工们谁也不去理睬他，看到摔得差不多了，大家互相递个眼色，又踩到土坯上继续打了起来。土坯还没有晒干，一脚踩下去就成了稀巴烂的泥土。吝啬鬼一下子被气得晕了过去，他的妻子也跑过来，把短工们狠狠地骂了一顿。

夜幕降临，惨淡的月光映照着一张毫无血色的脸。吝啬鬼坐在院子里守着那一堆碎片和一堆泥巴，又气又心疼。想想自己一天赔出去的早饭，吝啬鬼自我安慰道："不管怎么说，晚饭还是省下来了，明天的早饭也不用做了。"

天亮了，短工们围着场院转了一圈，兴高采烈地离开了吝啬鬼的家。

秋去冬来，吝啬鬼想着家里要多存一些木柴过冬才好。于是，他又从逃荒的人中挑选了一些人上山砍柴，条件还是不给工钱，管吃饱饭。

待短工们上山了，吝啬鬼叫妻子拿出祭礼用的金边小碗和小碟。妻子不解地问："这可是贵重的东西，你不怕被他们再打碎啦？"吝啬鬼诡秘地在她耳边嘀咕了几句，两人都笑了。

短工们扛着大捆大捆的木柴回来了，吝啬鬼的脸上笑开了花。

该吃中午饭了，桌上摆满了小碗小碟。可是碗碟中却只有一点点饭菜，一人夹一筷子都不够。

"吃这点饭菜叫我们怎么有力气干活？"大家埋怨起来。

"别急！这饭菜虽少，但是质量好；这碗碟虽小，可含金量高。"吝啬鬼的妻子笑嘻嘻地说。

一夹菜又露馅了！小碟里面的菜除了上面摆着几小根肉丝、几小片肉，下面都是老白菜、萝卜头。实在是太过分了，这难道就是吝啬鬼说的"吃饭管饱"吗？这是明摆着在骗人嘛！

大家忍气吞声地把这点老白菜、萝卜头吃了以后，又扛着斧头上山了。一到山上，就有人提议惩治一下这个老滑头。青年阿俊想出了一个将计就计的办法，大家决定试一试。

天色已晚，砍柴人陆陆续续地下了山，惟独不见自家短工的身影。吝啬鬼的妻子有些沉不住气了："老头子，这些穷小子会不会拿着斧头跑了呢？"

"没有的事，他们能吃下中午那顿饭，就说明怕了我们。这么晚不回来，说明木柴多，走得慢，你就看好吧！"吝啬鬼还在那儿做着自己的美梦。

夜色中，一行人唱着歌朝他家走来，吝啬鬼夫妇打着灯笼迎上去。啊！他们回来了。可仔细一看，每人肩上并没有大捆大捆的木柴，却只有两根小树

枝，而且小树枝被削得尖尖的，上面竟然还刻着漂亮的花纹。吝啬鬼夫妇看着这场景，一下子愣在那里，不明白这是怎么回事。

短工阿俊走到吝啬鬼夫妇面前，模仿着吝啬鬼妻子的口吻说："这柴虽少，但质量好；这枝虽短，但却耐烧啊！"

"哈哈哈！"短工们开心地大笑起来。吝啬鬼终于明白了，自己吃了穷小子的哑巴亏。旁边的妻子狠狠地瞪了他一眼："走吧，跟着你算是倒了八辈子霉！"

雇用短工吃了大亏，吝啬鬼又打起了长工的主意。

有一个叫郑大年的青年，他的老母亲病得很重，却无钱医治，没办法，他只好咬咬牙到吝啬鬼家做长工。大年凭着一身力气，早出晚归，辛勤劳作，只半年的工夫就把吝啬鬼的田地、菜地打理得井井有条。麦收一过，大年想，下半年终于可以松口气了。谁料到，吝啬鬼却对大年说："你是长工，照理说我不该中途辞退你，可是我今年家境不太好，所以你还是拿上你上半年的工钱走吧！"大年气得说不出话来。

大年路过场院时，心里说："这吝啬鬼也太能算计了，看到大活干完了，农忙时节也过去了，就一脚把我踢开！"

大年决定给吝啬鬼点厉害瞧瞧。他看周围没人，将吝啬鬼的大石磙子扛到水塘边，架在了一棵大树上，然后悄悄地走了。

这天，吝啬鬼正在监督短工们干活，忽然发现石磙不见了，忙叫大家去找，却发现石磙架在一棵大树上，颤颤悠悠地随时都有可能掉进旁边的水塘中。

这石磙是打场用的，要是落到水塘里岂不是坏了事。吝啬鬼不停地喊着："快，快去把石磙给我抬下来。"短工们来到树下，无论怎么抬，石磙仍然纹丝不动。短工们一起走到吝啬鬼跟前，说："暴风雨就要来了，风一刮，石磙必然落在水塘里，那样就更不好捞了，要是大年能回来，事情就好办了。"思前想后，吝啬鬼把心一横：请郑大年回来。吝啬鬼被迫备了一桌饭菜，向大年说明了请他回来的目的。吝啬鬼对大年说："只要你肯留下，我先付给你下半年的工钱，给你母亲看病，行吧？"郑大年看也不看他一眼，一个劲儿地摇头。外面狂风骤起，雷声大作，暴风雨就要来了。

"我豁出去了，只要你马上把石磙子抬下来，干到年底，我就给你双倍的工钱。"说完，吝啬鬼无可奈何地长叹一声。郑大年点了点头，来到树下，双脚叉开，双手上举，憋了口气，轻轻一托，石磙子就被抬下来了。风雨中，吝啬鬼抚摸着石磙哭丧着脸说："石磙呀，你坑了我两年的工钱呀！"

biǎn què shě mìng jiù guó wáng
扁鹊舍命救国王

春秋战国时有许多民间名医，"神医"扁鹊就是其中的一位。

齐国的国王生了一种很奇怪的病。他终日蒙头昏睡、茶饭不思，严重时无论多少侍卫来叫他，他依然沉睡不醒。太医看了都摇着头走开了，这可吓坏了王后和太子。

一个大臣对王后说："听说民间有位神医名叫扁鹊，看病多有独到之处，曾经治好过很多奇怪的病，不妨请他来试试吧！"于是王后立刻派人请来了扁鹊，并告诉他如果治好国王的病，将重重奖赏于他。

扁鹊来到齐王的寝宫，见齐王面色憔悴，没精打采地躺在那里。扁鹊上前看了看齐王的舌头，又把了把脉，询问了一下有关齐王的情况，然后对王后和太子说："国王的病没有你们想像得那么严重，我有办法治好，不久国王就能回到殿上主持朝政了。只是，国王病好的那一天，有可能就是我被国王处死的日子。"

71

王后对扁鹊说："那是绝对不可能的。国王是明君，如果你能把他的病治好，他赏你还来不及呢，怎么会杀你呢？""那好吧，我改天再来给国王看病。"出了宫门，扁鹊想：国王的生死关系着齐国的命运和百姓的安危，说什么我也应该治好国王的病。我本是一个平民，死不足惜啊！

回到家，扁鹊对父母说："我要去为国王治病，需要很长时间，也许回不来了。请二老自己多多保重吧！"

那天以后，扁鹊等呀、等呀，终于等来了一个大雨的日子。他赶忙上路，一不带草药箱，二不坐轿子，而是冒雨行走在泥泞的路上。进宫时，扁鹊已成了一个狼狈不堪的"落汤鸡"。走进齐王的寝宫，扁鹊看到齐王依旧蒙头昏睡，便穿着鞋子上了床，双手扶住齐王的后背推来推去，身上的雨水一滴滴地落在了齐王的脸上、身上。齐王被折腾醒了，看着扁鹊一下子坐了起来，大怒道："哪来的野蛮郎中？你哪里是在治病，明明是想害死本王，我要斩了你！"

大臣和侍卫听到了齐王的骂声，急忙赶来。扁鹊听着齐王骂自己，并没有生气，仍然在他身上踩呀、拍呀。齐王一看扁鹊在这么多人面前依然撒野，太有损自己的尊严了，骂得更凶了。这时的扁鹊做完了自己要做的，一声不响地任凭齐王发落。齐王骂累了，下旨将扁鹊拉出去斩首。

扁鹊被侍卫押着走出寝宫。他乘机对跟在后面的王后和太子说："国王的病就要好了，他发了这次脾气，身上的病已经不治而愈了。用辱君的方法为国王治病实属无奈，请王后开恩把我关在大钟内闷死好了。"王后听了扁鹊这番话，虽然半信半疑，但因为有承诺在先，于是成全了扁鹊。在宫殿外，有一座钟亭，王后让扁鹊坐进了钟里，然后叫侍卫上了锁。坐在钟内的扁鹊憋得透不过气来，于是他用手指使劲地钻钟，十个手指都磨出了血，最后他终于在钟内挖通了一个出气口，坐在里面闭目养神。没过几天，齐王的病真的好了。王后和太子都觉得太冤枉扁鹊了，便去找齐王诉说。齐王此时想起被他下令杀掉的扁鹊，心里十分后悔，便同王后和太子一同到钟亭去看望扁鹊，准备为他厚葬。没想到扁鹊竟然平静地端坐在钟亭中央。齐王亲自扶扁鹊出来。太子急切地问扁鹊："你为什么非要用那么粗野的办法给父王治病呢？"扁鹊答道："大王得的是忧郁病，病因是为国家操劳过度，烦恼之事长期闷在胸内所致。只有用激将法使他开口发泄才有效，我个人的生死当然没有国王的安危重要了。"齐王这才恍然大悟。

73

崇祯测字

明朝末年，闯王李自成率领义军围攻北京，但一直久攻不下，起义军损失严重。军师宋献策认为，不能强攻，而应该用攻心战术，让崇祯自己主动放弃京城。

此时，崇祯皇帝的心里充满了恐惧，他非常相信命运，家人被害、洛阳失守、大明日渐衰败，他认为这些都是上天的安排。宋军师假装扮成测字先生进了京城，在离皇宫不远的地方摆了一个测字摊。他心想：崇祯，只要你敢到我这儿测字算命，你的末日就不远了。

李自成下令停止了攻城。崇祯皇帝猜想：这帮起义军，怎么突然就没动静了？他们到底在打什么主意呢？

为了解除自己心中的疑团，崇祯皇帝带上太监王德化

微服出宫，想打探一下消息，顺便也出去散散心。宋军师虽然不认识崇祯，但看到他们二人是从皇宫方向来的，所以格外注意他们，还特意将测字的招牌举了起来。崇祯原本就相信相面、卜卦，所以，

tā yí kàn jiàn zhāo pai jiù zhí bèn sòng jūn shī ér lái
他一看见招牌，就直奔宋军师而来。

xiān sheng qǐng nǐ gěi wǒ jiā lǎo ye cè yí zì wáng dé huà duì sòng jūn shī shuō
"先生，请你给我家'老爷'测一字。"王德化对宋军师说。

sòng jūn shī tīng wáng dé huà shuō huà de shēng yīn róu shēng xì yǔ
宋军师听王德化说话的声音柔声细语，

yòu jiàn tā fū sè fěn bái méi yǒu hú xū yí kàn jiù shì gè tài jiàn
又见他肤色粉白，没有胡须，一看就是个太监。

sòng jūn shī zhuǎn tóu zài kàn yǐ jīng zuò zài yǐ zi shang de lǎo ye
宋军师转头再看已经坐在椅子上的"老爷"，

dà gài jiù shì zì jǐ yào zhǎo de rén le yú shì tā rè qíng de wèn
大概就是自己要找的人了。于是，他热情地问

dào bù zhī dào zhè wèi lǎo ye yào cè shén me shì wáng dé huà
道："不知道这位'老爷'要测什么事？"王德化

máng shuō guó shì jiù cè péng you de yǒu zì ba zuò zài yì
忙说："国事！就测朋友的'友'字吧！"坐在一

biān de lǎo ye diǎn le diǎn tóu
边的"老爷"点了点头。

sòng jūn shī bǎ zhè xiě hǎo le de yǒu zì ná zài shǒu
宋军师把这写好了的"友"字拿在手

li màn màn de shuō nǐ men cè guó shì kě yǒu xiē bú miào
里，慢慢地说："你们测国事，可有些不妙

ya sòng jūn shī yòng shǒu wǔ zhù yǒu zì yì piě de shàng bù shuō yǒu zì xiàn zài chéng
呀！"宋军师用手捂住"友"字一撇的上部，说："'友'字现在成

le fǎn zì zhè fǎn zì yǔ guó shì lián zài yì qǐ kě bú shì hǎo zhào tou
了'反'字，这'反'字与国事连在一起，可不是好兆头。"

chóng zhēn kàn de míng míng bái bái liǎn sè yí xià zi biàn le wáng dé huà yí kàn jí máng
崇祯看得明明白白，脸色一下子变了。王德化一看，急忙

duì sòng jūn shī shuō bú shì zhè ge zì nǐ gǎo cuò le wǒ jiā lǎo ye yào cè de zì shì
对宋军师说："不是这个字，你搞错了，我家'老爷'要测的字是

yǒu méi yǒu de yǒu zì
有没有的'有'字。"

sòng jūn shī duān duān zhèng
宋军师端端正

zhèng de yòu xiě xià yí gè yǒu
正地又写下一个"有"

zì zhòu zhe méi tóu kàn le hǎo
字，皱着眉头看了好

yí huì er zhè ge zì nǐ men
一会儿。"这个字你们

hái shi bú yào cè le miǎn
还是不要测了，免

de nǐ men lǎo ye yòu bù
得你们'老爷'又不

gāo xìng
高兴。"

75

宋军师故意回答说。"不行！要测，你快说给我听听。"崇祯沉不住气地对宋军师说。宋军师问道："这个'有'字的上部分是一个什么字少了一捺？""是'大'字少了一捺。"崇祯回答说。"那这'有'字的下半部是什么字少了半边？"宋军师又问。

"是'明'字少了一个'日'字，只剩下了'月'字。""对呀！如今这大明江山已经少了一半，朝廷危在旦夕了。"

崇祯不甘心地拿过笔，又在纸上写下一个"酉"字："刚才测的都不算数，现在来测这个字，你要是再测不好，非治你的罪！"宋军师两只眼睛死盯着"酉"字，眉头紧锁，满面愁云，任凭崇祯怎样催促他，他都一言不发。

崇祯急于想知道测字的结果，对宋军师说："你不用为难，赶快告诉我。""这位老爷，这个字太可怕了，您还是不要知道好。"宋军师故作一副神秘的样子。宋军师越是闭口不说，崇祯越是心惊胆战，仿佛已经预感到了什么。

宋军师凑近崇祯，小声说："你可千万不要告诉别人啊！否则要被杀头的！你看这个'酉'字，它在'尊'字中间，人称皇帝为尊，可是这'酉'字上无头，下无脚，这是在暗示着当今皇帝的命运呀！"

崇祯只觉得天旋地转，险些摔倒在地。回宫后，崇祯皇帝从此一蹶不振，不久便在景山的歪脖树上吊死了。

孟姜女哭长城

秦朝时，长城脚下住着一对邻居：孟家老爷是一位员外，姜家祖辈种田。有一年，姜家院子里的瓜藤结了一个又圆又大的瓜。孟、姜两家拿刀切瓜，瓜里面蹦出一个白白胖胖的女娃，孟、姜两家给她取名叫"孟姜女"。

那时，秦始皇正到处抓人修长城，很多年轻人都逃到外面躲了起来。有一天，孟姜女在园子里赏花，突然闯进一个年轻人。年轻人见了孟姜女，连忙行礼道："小人是读书人，姓范，名喜良。因朝廷要抓人修长城，便逃了出来。敬请恕罪。"

孟员外见他斯文老实，便让他住下来和孟姜女一起读书。孟姜女和范喜良慢慢有了感情。后来，两人成了亲。

洞房花烛夜，来了几个官差，把范喜良抓去修长城了。孟姜女思念丈夫，便独自一人去长城找范喜良。她来到长城脚下，逢人就问："这里有叫范喜良的吗？"一个民夫说："范喜良两天前死了，尸首被扔到城脚垫底了！"孟姜女听丈夫死得这么惨，伏在长城边上大哭起来，哭了几天几夜。突然，"轰"的一声，八达岭那段城墙塌了，范喜良的尸首也露了出来。

后来，人们都说是孟姜女悲痛的哭声感动了上天，才让她找到了范喜良的尸骨。

má gū
麻姑

东汉时期，有一位大官名叫蔡经。一天中午，蔡经正在午睡，忽然，一道耀眼的光芒刺得他睁开了眼睛。定睛一看，只见一位穿着道袍的仙人站在他面前，原来是好友王方平。王方平说要给蔡经介绍一位仙女麻姑，她稍后就到。

这时天空传来一阵阵悦耳的音乐声，王方平忙说："麻姑到了。"蔡经抬头望去，只见眼前站着一位姑娘，她头上挽着一个彩云发髻，穿着鲜花织成的衣裙，美得无法形容。王方平和蔡经赶紧迎上去。

蔡经看着麻姑的纤纤玉手，心里起了邪念，暗暗想道：要是麻姑这双手能替我挠挠痒，该有多舒服啊！正想着，他忽然

感觉脊背上一阵灼烧，疼痛难忍，随即长起了一个砂锅般大小的包。他害怕极了，慌忙向麻姑道歉。麻姑渐渐消了怒气，警告他说："为人要心地纯洁，不然就有灾祸降临。"随后，王方平与麻姑踏着五彩云飞走了。

从此，蔡经修身养性，成了一位品行廉洁的好官。

mā zǔ
妈 祖

一千多年前，在风景如画的福建湄州湾，住着一位林善人。他家里惟一的男孩儿体弱多病，两口子日夜烧香拜佛，求观音菩萨再赐给他们一个儿子。不久，王氏生下一个漂亮的女孩儿，家里人就给她取名叫"默娘"。

这年秋天，林善人临时有急事，和儿子出海去江浙。半途中，忽然狂风大作，巨浪腾空，"啪"一下把船掀翻了。默娘正在邻家专心织布，突然感到胸口被什么东西撞了一下，就趴在织布机上睡着了。她在梦中看见父兄在怒海中拼命挣扎，不由纵身跳进海里，用嘴衔起父亲，双手托着哥哥，奋力向海岸上游去。不料，这时母亲在外面叫她，默娘张口答应，父亲就从嘴里掉进了大海中。默娘睁开眼，结果，父亲真的遇难了，只有哥哥生还。

二十八岁那年的重阳节，默娘登上湄峰峰顶，升天了。

人们为了纪念默娘，尊敬地称她为"妈祖"。海上遇险的渔民只要跪下向天呼喊："妈祖保佑！"默娘就会变成一盏朱雀神灯，给遇险的船只引路。现在中国东南沿海一带都可以看到妈祖庙。

犀牛望月
xī niú wàng yuè

浙江省的雁荡山上，有一座看起来很像犀牛的山峰。关于这座犀牛峰，还有一个非常动人的传说。

雁荡山下住着一户地主，五岁的小玉是他们家的长工。她是一个孤儿，每天上山放牛，晚上只能跟牛睡在一处。时间长了，小玉和老牛成了好朋友。小玉长到十七岁，变成一个漂亮的大姑娘了。这时，地主对她起了歹心，竟然想霸占她。

一天晚上，管家偷偷把小玉绑了起来。牛儿用结实的身体挡住门口，然后竖起铁鞭似的尾巴，朝管家的脸甩过去。一下、两下、三下……直打得管家哭爹喊娘，扔下小玉就逃。

地主纠集一大帮家丁冲过来，牛儿摇摇头，蹲下身子，示意小玉坐上去。老牛驮着小玉从牛棚里飞奔而出。地主和一大群家丁在后面穷追不舍，一直追到悬崖上。老牛高高翘起一只角，小玉伸手抱紧了，这只角离开老牛的身体，向着天空越飞越高，一直飞到月亮里。随后，老牛化成一只独角石犀牛！

从此，每逢晴朗的夜晚，我们可以看到这座犀牛峰和天边的那轮圆月在遥遥相望……

80

李寄杀蟒
lǐ jì shā mǎng

宋朝的时候，一条十米长的千年蛇精窜到了浙江与福建的交界处——庸岭。蛇精见这里山清水秀，便找了一处开阔的洼地盘踞下来。庸岭山下有个小村庄，老百姓日出而作，日落而息，过着平静的生活。

可是蛇精的到来彻底改变了他们的生活。蛇精每个月都爬下山去，见猪吃猪，见牛吞牛。有一次，蛇精摇身一变，变成一个老巫婆，来到村庄。一个十几岁的少年被蛇精一口咬住……

村里有个叫李寄的小姑娘，从小胆大过人。她听说村里孩子被吃的事，非常气愤，决心杀死蛇精。

她让父母准备一把锋利的宝剑，一桶糯米饭，饭里拌上姜葱、肉末和白酒，闻起来香得叫人忍不住要流口水。准备妥当，李寄就带上家中的猎犬，上山找蟒蛇去了。

在离蛇精还有几米远的地方，李寄放慢脚步，轻轻地放下饭桶，蛇精迫不及待地扎进桶里吃了起来。李寄用力一拍猎犬的背，猎犬勇猛地扑向蛇精，死死地将埋头吃饭的蛇精咬住。这时李寄挥舞着宝剑，一阵猛砍，最终将不可一世的蟒蛇精打死了。

闻讯赶来的老百姓高兴地把李寄抱了起来，一直抱到村子里。

神仙鸡

话说苏州老阊门有一家菜馆，老板姓朱。朱老板有一手绝活，就是能烧一种皮脆肉嫩的"三黄鸡"。

一天，朱家菜馆斜对面的李家菜馆老板见朱家菜馆生意兴隆，就唆使鸡贩子将生了病的鸡卖给朱家的管家，借此败坏朱家菜馆的名声。此后，朱家菜馆的生意一日不如一日，朱老板气得病倒了。

到了农历四月十四，恰逢苏州城举行"轧神仙"活动。据说这一天神仙吕洞宾下凡，生病的人如碰上吕洞宾，病就会好起来。朱老板一行来到神仙庙前，一位老人笑着说："神仙已在桥上等你半天了！"朱老板定睛一看，桥上果然坐着一位长者。

朱老板觉得奇怪，便转身往桥上走去。不料桥上的长者此时不知去向，只留下两个合着的碗。朱老板恍然大悟，这两个合着的碗就是一个"吕"字，刚才碰到的就是神仙吕洞宾。朱老板发现碗里有一张纸条，上面写着秘制烧鸡的诀窍。朱老板如获至宝，病也全好了。从此，朱家菜馆重振旗鼓，生意做得红红火火。这种秘制烧鸡后来就被称为"神仙鸡"。

hú dié quán
蝴蝶泉

白族姑娘蝶妹和小伙子阿郎生活在风景秀美的家乡——云南大理。

一天早晨，一头小鹿呜咽着跑过来，扑进蝶妹怀里。蝶妹看见鹿背上插着一枝虞王府的箭，伤口正往外流血！虞王府的恶鹰盘旋而来，盯着蝶妹怀中的小鹿。这时，猎手阿郎正好骑马路过，便拉弓射箭，将恶鹰射落在地。这时，虞王和家丁们赶到。阿郎见状，拉起蝶妹的手向外跑去，逃脱了家丁的追捕。

年轻勇敢的阿郎爱上了善良温柔的蝶妹。阿郎不知道，无恶不作的虞王也看上了蝶妹，并连夜派家丁带上锦缎和财宝送到蝶妹家中。可是蝶妹一口拒绝了上门来提亲的家丁。这帮奴才就将蝶妹捆起来，带到虞王府。

阿郎带上利斧，骑上快马，将蝶妹从牢狱中解救出来，二人双双逃出虎口。虞王和家丁们闻声追了上来。最后，真挚相爱的阿郎和蝶妹两人手牵手，纵身跳进了山泉！从此，这座山泉有了一个动听的名字：蝴蝶泉。忠诚于爱情的阿郎和蝶妹，便是蝴蝶泉的主人。

mǎ lán huā
马兰花

传说马兰山上有一朵神奇的马兰花，它会带给人们幸福。

马兰山下住着王老爹一家，他有两个女儿：姐姐大兰好吃懒做，妹妹小兰却像只勤快的布谷鸟。一天，王老爹去山里采药，不小心从山崖上摔下来，醒来却发现自己在高山顶上，面前站着一个英俊的小伙子，手里拿着一朵金光闪闪的马兰花。小伙子说："老爹，我叫马郎。您女儿如果喜欢这朵花，就请她嫁到深山里来吧。"王老爹带着花儿回家问女儿。大兰一听要嫁到深山里，抱着花布回房了。小兰接过美丽的马兰花，红着脸说："女儿不怕深山苦，我喜欢这朵马兰花。"

马郎把小兰接到深山里，两人开荒播种，到了秋天，果实累累，夫妻俩过上了幸福的生活。小兰头插马兰花回家来。大兰见小兰打扮得漂漂亮亮，心里非常妒忌。一只大灰狼对大兰说："那朵马兰花能给人带来幸福，你应该抢过来。"大兰说："妹妹，你头上的花儿好漂亮，借我看看。"小兰刚摘下马兰花，大灰狼就把它抢走了，并把小兰推下河。马郎追上来，夺过马兰花，一脚把大灰狼踢下了山崖。马郎借马兰花的神力救活了小兰。从此以后，大兰也变成了一个勤劳的人。

hǔ gū pó
虎姑婆

在一个遥远的村庄里，住着一位妈妈和姐弟俩。秋天，妈妈摘了满满一篮红柿子，要送给姑婆去。出门时，妈妈叮嘱姐弟俩说："妈妈没回来，千万别开门！"

晚上，姐弟俩钻进被窝睡觉。突然，响起了敲门声："小乖乖，快开门，妈妈回来了！"姐姐去开门，"咯吱"一声打开门。外面挤进一个老太婆，说："我是姑婆啊，上回来过你们家呢！"

睡觉时，弟弟钻进了老太婆的被窝。半夜，隔壁传来"喀嚓、喀嚓"的声音。姐姐被吵醒了，问："姑婆，这么晚了您吃什么呢？"老太婆说："在吃花生米。"姐姐说："我肚子也饿了，分几颗给我吃吧！"隔壁"咚"的一声丢过一个东西来。姐姐一看，是弟弟的手指头。姐姐心里嗵嗵直跳，她借机把绳子绑在桌腿上，逃到外面爬上了柿子树。虎姑婆听到声响，冲出门来，一抬头，见姐姐在树上。虎姑婆想在树上吃姐姐，两手攀着绳往上爬。姐姐用力拉呀拉，虎姑婆快到树上时，她一松手，虎姑婆"扑通"一声掉进井里淹死了。

qiǎo xí fù
巧媳妇

从前,有个张老头儿。他的前三个儿子都娶了媳妇,只剩小儿子打光棍儿。

一天清早,张老头儿对三个媳妇说:"你们很久没回娘家了,今儿回去看看吧。"三个媳妇一听,乐得合不拢嘴。张老头儿接着说:"大媳妇住三五天,二媳妇住七八天,三媳妇住十五天。你们一同去一同回来;这次回去,大媳妇替我带一个红心萝卜回来,二媳妇带一只纸包火,三媳妇带一只没有脚的团鱼。"三个媳妇满口答应了。

三个媳妇走到岔路口,才记起张老头儿的话来。她们不知道怎么办才好。邻村王屠夫的女儿巧姑问明原委,说:"三五一十五,七加八也是十五,大家半个月后一起回来就行了!至于红心萝卜、纸包火和没脚团鱼嘛,分别是鸡蛋、灯笼和豆腐。"三个媳妇谢过巧姑,回娘家去了。

半个月后,三个媳妇提着东西一起踏进家门。张老头儿一看,忙问她们是怎么想出来的。三个媳妇把巧姑的事说了一遍。张老头儿心中大喜,马上请媒人到王屠夫家给小儿子说亲。不久,巧姑做了张老头儿的四媳妇。后来,张老头儿就让巧姑当了家。

bì luó chūn
碧螺春

碧螺春原先只是长在太湖东山上默默无闻的普通树叶。

传说有一年的谷雨时节，康熙皇帝带着一班官员来到烟波浩淼的太湖游玩。康熙有些口渴，这时，从远处飘来一股清幽的香味儿。康熙像喝了口甘泉似的，不禁问左右随从："这香味儿是从哪里飘来的？"

这时，一个乡绅恭敬地说："启奏皇上，这股香味儿是从一种名叫'吓煞人香'的树叶子上散发出来的。"康熙一听，高兴地说："那还不快去摘几片来给朕看看！"那乡绅连忙点头照办。不一会儿，一篮嫩绿的香叶子就送到了皇上跟前。康熙抓起一把香叶子闻了闻，连连称赞："这真是天下第一奇香啊！"

自从闻过"吓煞人香"的味道后，康熙念念不忘。

这时，那位乡绅想了个办法，吩咐厨师在做菜时加了一把香叶子和菜一起炒。康熙吃了，龙颜大悦，当即下旨将"吓煞人香"作为贡品，年年都得进贡宫里。后来，人们发现用"吓煞人香"沏茶甘香可口，便开始大量种植，并给它起了个好听的名字，叫"碧螺春"。从此，"碧螺春"就成了洞庭名茶。

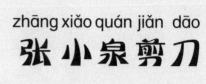

张小泉剪刀

从前，有个人叫张小泉，不但打得一手好铁，水底功夫也很厉害。

有一年，张小泉得罪了当地的恶霸，不得不带着三个儿子远走他乡。一家人来到杭州城隍山脚下，在那里搭起草棚，开了家打铁铺。

离打铁铺不远有一口井，井水清凉甘甜，村民们都上这儿来打水。有一天，井水突然变得乌黑浑浊，还带着刺鼻的腥臭味儿，村民们围在井边苦恼万分。这时，一位住在井边的老爷爷叹息道："钱塘江里有两条乌蛇，每隔一千年就钻到井里来生小蛇，把井水搅浑。"张小泉听了，脱掉衣裳，一把抓起大锤，跃进了井里。潜到井底，在一个黑暗的角落，两条大乌蛇交缠在一起，睡得正香。张小泉大喜，他举起铁锤，对准七寸，狠狠砸了下去。乌蛇拍了拍尾巴，不动弹了。张小泉爬出水井，将乌蛇往地上一丢，只见两条乌蛇紧贴在一块儿，分也分不开。张小泉顺势在两条乌蛇交颈的地方安上一枚钉子，把乌蛇两头磨尖，制成"剪刀"。听说有了剪刀，大家都争着来买，这就是后来著名的"张小泉剪刀"。

88

白蛇娘娘
bái shé niáng niang

传说四川峨眉山的山洞里，住着修炼千年的白蛇和青蛇。姐姐叫白娘子，妹妹叫小青。

一天，她们变成两姐妹到西湖游玩，突然下起大雨，这时一位面容清秀的后生递过一把伞。

第二天，白娘子拉上小青上门还伞，才知道递伞的后生名叫许仙，父母早逝，现在在一家药店当伙计。许仙朴实善良，白娘子美丽温柔，两人心里都互相喜欢，便结成了夫妻。

一天，从金山寺来了个老和尚，说许仙碰上了妖怪。端午节那天，许仙按老和尚教的方法，让怀有身孕的白娘子喝下碗雄黄酒，结果现出原形。许仙见床上横着一条水桶粗的白蛇，吓死了。白娘子醒来后，心里非常悲痛，挺着肚子飞到灵山上偷盗灵芝草，救活了许仙。不久，白娘子生下了一个白胖胖的儿子。法海趁白娘子身体虚弱，托着金钵罩住白娘子，把她压在西湖边的雷峰塔下。

十八年后，小青练就一身本领下山来，上金山寺找法海算账。法海打不过她，瞥见淤泥里爬着几只螃蟹，趁机一缩身，钻进螃蟹的硬壳里。小青救出白娘子，许仙夫妻又团聚了。

九色鹿

很久以前，有一队外国使臣长途跋涉来到中国。他们带来许多金银财宝，准备进献给当朝皇帝。

这一天，他们走在一片荒无人烟的沙漠中。昏昏沉沉中，一只美丽的九色鹿从天而降。九色鹿轻轻提起右腿，仰头长歌。歌声如同一只无形的手，将沙丘展平了，刹那间，一条宽阔的道路出现在使臣们脚下。在九色鹿的帮助下，使臣们很快走出了沙漠，来到了京城。宴会上，使臣向皇帝讲述了沙漠中的奇遇。皇后听了，心想：我要是能得到这只鹿，用它的皮做成衣服，那该有多美！于是，皇后整日里乞求皇上猎取九色鹿。皇帝只好贴出告示：谁能找到九色鹿，就给他封官赏银。

告示被一个老头儿揭了去。原来，几天前这老头儿去深山老林采药，不小心掉进山崖下的深水潭，是九色鹿把他救了出来。

老头儿做梦都想发财、做官。他领着几百个士兵开进深山老林，找了一整天，没有发现神鹿的影子。老头儿急了，不顾一切地跳进深水潭，像上次那样大叫："救命啊！"九色鹿听见了，飞奔而至。士兵们急忙拉弓搭箭，向九色鹿射去。奇怪的是，射出去的箭只飞到一半就纷纷落地。九色鹿望着老头儿沉到水底淹死了，人们呆呆地目送九色鹿向天空飞去。

sān gè hé shang
三个和尚

一个云游四方的小和尚来到一座观音菩萨的小庙里。这座小庙布满了灰尘和蜘蛛网，地上到处是吱吱叫的老鼠。

小和尚拿水桶到山下去挑水，擦洗地板，擦干净观音菩萨的佛像。经过小和尚的辛勤劳动，庙里渐渐充满了生气。

后来，庙里来了一个瘦和尚。瘦和尚就称小和尚为师兄。由于小和尚是师兄，他就把挑水的重活儿推给瘦和尚。瘦和尚觉得这样的重活他一个人干挺吃亏，就要小和尚和他一起抬水。小和尚心里十分不情愿，两人常常为挑水的事吵闹。不久，庙里又来了一个胖和尚，胖乎乎的脸上挂满汗珠。他一进庙，就跑到水缸边把水全部喝光了。小和尚和瘦和尚一看水缸里没有水了，非让胖和尚去挑水。胖和尚身体太胖，来回一趟就得歇息五六次。他一天挑两桶水上山，但路上就被他喝掉一半。胖和尚觉得三人吃水，只有自己一个人挑水，太不公平了，渐渐地他也不下山挑水了。从此，三个和尚为挑水的事天天吵得不可开交。

一天晚上，庙里的蜡烛不小心被耗子撞倒，引起了大火。三个和尚连忙起来救火，但是水缸里一滴水都没有。这时，天上突然下起了大雨，把大火浇灭了。三人望着还在冒烟的小庙，呆呆地坐了一个晚上。

第二天，三人早早起来，争先恐后地跑到厨房里拿扁担挑水。经过这场火灾，三个和尚就像亲兄弟一样团结了，庙里的观音菩萨也高兴得露出了笑容。

武松打虎

这天天不亮，武松赶去阳谷县看望哥哥武大郎。走了大半天路，他很想歇歇脚，正好看见迎面飘扬着一面小旗，写着"三碗不过冈"，原来是一酒家。武松跨进去，说："店小二，切一盘牛肉，来三碗酒！""好酒啊！小二，添酒来！"武松喝完三碗酒喊道。

"哎，客官，酒是不能再添了，给您加点菜吧！"

小二忙上前解释。原来，这家小店卖的酒味道香醇，但无论你酒量多大，喝下三碗后就不能再喝了，否则一出店门就站不稳脚跟。景阳冈最近来了一只恶虎，已经伤了十几条人命。

hē zuì jiǔ guò jǐng yáng gāng nán miǎn huì luò rù hǔ kǒu sān
喝醉酒过景阳冈，难免会落入虎口，"三
wǎn bú guò gāng de zhāo pai jiù shì zhè yàng lái de wǔ sōng
碗不过冈"的招牌就是这样来的。武松
shì gè tiān bú pà dì bú pà de rén tā zhí yì yào xiǎo èr
是个天不怕、地不怕的人，他执意要小二
ná jiǔ yì lián hē le shí wǔ wǎn
拿酒，一连喝了十五碗。

jiǔ zú fàn bǎo wǔ sōng zhàn qǐ lai yào jì xù gǎn
　　酒足饭饱，武松站起来要继续赶
lù xiǎo èr quàn tā zài cǐ liú sù wǔ sōng bù yǐ wéi rán
路。小二劝他在此留宿，武松不以为然，
tā huàng huàng yōu yōu de zǒu dào jǐng yáng gāng dǎo zài yí kuài
他晃晃悠悠地走到景阳冈，倒在一块
dà qīng shí de páng biān hū lū hū lū dǎ qǐ hān lái
大青石的旁边，"呼噜呼噜"打起鼾来。

yì zhī lǎo hǔ cóng shù cóng hòu zǒu chū lái dà hǒu yì shēng zhèn de shān gāng dōu dòng le yě
　　一只老虎从树丛后走出来，大吼一声，震得山冈都动了，也
bǎ wǔ sōng zhèn xǐng le lǎo hǔ yòu hǒu le yì shēng xiàng wǔ sōng shì wēi wǔ sōng zhuā zhù shào bàng
把武松震醒了。老虎又吼了一声，向武松示威。武松抓住哨棒，
fān shēn tiào qǐ lai lǎo hǔ yí bù bù jǐn bī shuō shí chí nà shí kuài wǔ sōng lūn qǐ shào bàng
翻身跳起来，老虎一步步进逼。说时迟，那时快，武松抡起哨棒，
zhào zhǔn lǎo hǔ de nǎo dai jiù zá xià qù lǎo hǔ mǎ shàng cháo wǔ sōng fǎn pū guò lái wǔ sōng zuǒ dǐ
照准老虎的脑袋就砸下去。老虎马上朝武松反扑过来。武松左抵
yòu dǎng yì zháo jí jìng bǎ shào bàng dǎ dào shù shang yīn wèi yòng lì guò měng shào bàng yìng shēng
右挡，一着急，竟把哨棒打到树上，因为用力过猛，哨棒应声
ér duàn lǎo hǔ chèn jī jiāng liǎng zhī qián zhǎo dā dào wǔ sōng de jiān bǎng shang hǎo wǔ sōng wò jǐn
而断。老虎趁机将两只前爪搭到武松的肩膀上。好武松，握紧
quán tóu shǐ chū hún shēn lì qi tòng dǎ lǎo hǔ de nǎo dai shēn tǐ yě bù zhī dǎ le
拳头，使出浑身力气，痛打老虎的脑袋、身体……也不知打了
duō shǎo quán lǎo hǔ zhōng yú tān ruǎn xià qù le
多少拳，老虎终于瘫软下去了。

mù lán cóng jūn
木兰从军

huā mù lán shì yí gè dǒng shì ér yǒu zhì qì de nǚ hái
　　花木兰是一个懂事而有志气的女孩
zi cóng xiǎo gēn zhe fù qīn wǔ gùn nòng bàng liàn jiù le yì shēn
子，从小跟着父亲舞棍弄棒，练就了一身
de hǎo wǔ yì
的好武艺。

忽然有一天，朝廷的快马飞奔而来。原来，北方的匈奴杀进中原，皇帝发出征兵告示，命令所有的成年男子都要上战场，保家卫国。木兰全家人都急得吃不下饭，睡不着觉，木兰连织布的心思都没有了。父亲年纪已大，身体又弱，连马都骑不动了，怎么能去前线打仗呢？自己没有哥哥，弟弟年纪尚小，不能替父参军，而皇帝的命令又是不能违抗的，怎么办呢？

于是，木兰把长发束起，穿上男儿的衣裳，告诉爹娘："孩儿要上前线。你们放心吧，不把敌人打败，我决不回家。"花木兰终于说服了爹娘。她骑上战马，挥舞着长鞭，和男子们一起，向着北方的战场出发了。这场战争整整打了十二年。白天，花木兰要和其他士兵一样冲锋陷阵、奋勇杀敌；晚上，她只能和衣而睡，以免暴露自己的女儿身。

因为花木兰英勇善战，屡建功绩，部队凯旋而归时，她已经成了赫赫有名的英雄。皇帝召见她时问："你想要什么？我都可以赏赐给你。"木兰说："我不要金银财宝，也不想做官，只想早日回到家乡，探望久别的爹娘。"

皇帝被她的孝心感动，派出一大队侍卫，护送她返乡。

木兰走进自己的房间，脱下战袍，换上裙钗。梳妆打扮完毕，她走出房门。战友们惊呆了，同行十二年，他们竟没有发现，木兰竟是一位女子！

zhōng kuí zhèn guǐ
钟 馗 镇 鬼

yǒu yì tiān，táng míng huáng jué de hún shēn bù
有一天，唐明皇觉得浑身不

shū fu，yí huì er rè，yí huì er lěng。gōng li
舒服，一会儿热，一会儿冷。宫里

de yù yī zhì bu liǎo táng míng huáng de bìng，cóng sì
的御医治不了唐明皇的病，从四

miàn bā fāng gǎn lái de shén yī yě shù shǒu wú cè。
面八方赶来的神医也束手无策。

yì tiān zhōng wǔ，táng míng huáng shuì de hūn hūn
一天中午，唐明皇睡得昏昏

chén chén，hū rán kàn jiàn yí gè tóu dài sān jiǎo mào de xiǎo guǐ。zhè xiǎo guǐ jiàn táng míng huáng bìng yāng
沉沉，忽然看见一个头戴三角帽的小鬼。这小鬼见唐明皇病秧

yāng de，jiù sì wú jì dàn de zài gōng diàn li yóu lái dàng qù，fān xiāng dǎo guì。táng míng huáng qì
秧的，就肆无忌惮地在宫殿里游来荡去，翻箱倒柜。唐明皇气

de huǒ mào sān zhàng，duì xiǎo guǐ nù chì dào："dà dǎn xiǎo guǐ，kuài gěi wǒ gǔn！"
得火冒三丈，对小鬼怒斥道："大胆小鬼，快给我滚！"

xiǎo guǐ què bú pà táng míng huáng。zhèng dāng xiǎo guǐ qì yàn zhāng de shí hou，tū rán cóng
小鬼却不怕唐明皇。正当小鬼气焰嚣张的时候，突然从

dì xià mào chū yí gè biāo xíng dà hàn：mǎn liǎn hú xū，nóng méi dà yǎn。zhǐ jiàn tā dà hè yì
地下冒出一个彪形大汉：满脸胡须，浓眉大眼。只见他大喝一

shēng："xiǎo guǐ xiū dé wú lǐ！"huà yīn gāng luò，yì bǎ zhuā zhù le xiǎo guǐ de bó zi，bìng
声："小鬼休得无礼！"话音刚落，一把抓住了小鬼的脖子，并

shùn shì jiāng xiǎo guǐ niē chéng liǎng bàn，zhāng kāi dà zuǐ，sāi le jìn qù，bǎ xiǎo guǐ chī diào le。
顺势将小鬼捏成两半，张开大嘴，塞了进去，把小鬼吃掉了。

dà hàn xiàng táng míng huáng xià guì，shuō dào："chén shì lái jiù bì xià de，chén xìng zhōng míng
大汉向唐明皇下跪，说道："臣是来救陛下的，臣姓钟名

kuí，zài yīn jiān zhuān zhì zuò è de guǐ guài。chén shēng qián méi yǒu jī huì bào xiào cháo tíng，sǐ hòu
馗，在阴间专治作恶的鬼怪。臣生前没有机会报效朝廷，死后

lì zhì yào sǎo chú tiān xià suǒ yǒu de yāo mó guǐ guài。"shuō wán，biàn kē tóu lí qù。
立志要扫除天下所有的妖魔鬼怪。"说完，便磕头离去。

táng míng huáng jīng xǐng guò lái，yuán lái shì yì chǎng mèng。shuō lái yě guài，zì cóng mèng xǐng hòu，
唐明皇惊醒过来，原来是一场梦。说来也怪，自从梦醒后，

táng míng huáng de bìng jiù hǎo le。hòu lái，táng míng huáng huí xiǎng qǐ zhōng kuí de xiàng mào，jiù jiào huà
唐明皇的病就好了。后来，唐明皇回想起钟馗的相貌，就叫画

shī huà le yì fú zhōng kuí xiàng guà zài gōng zhōng。mín jiān bǎi xìng dōu bǎ zhōng kuí dàng chéng xiáng yāo zhèn
师画了一幅钟馗像挂在宫中。民间百姓都把钟馗当成降妖镇

guǐ de shèng xián，měi dào nián mò，jiā jiā dōu zài mén shang guà zhōng kuí xiàng lái bì xié qū guǐ。
鬼的圣贤，每到年末，家家都在门上挂钟馗像来避邪驱鬼。

chūn jié
春节

夕和年原来都在玉帝手下做事。年聪明勇敢，夕则又懒又馋。夕因为在天庭闹事，被玉帝贬到人间，成了一头大怪兽。

夕这头怪兽掉在了原始森林里，他把森林里的动物都吃掉后，便呼呼大睡起来。不知道过了多久，夕终于醒了，只见四周一片寂静，只有天上的星星和月亮看着他。夕感到肚子里空荡荡的，好饿呀。于是，夕向远处的一个村子奔去。村里的人正在睡觉，夕就开始吃村民们的牛羊鸡鸭。

村民的生活从此失去了安宁。最恐怖的是，怪兽在吃完牲畜后就开始吃人了。大家恨死了这头凶残的怪兽，但是，谁能打得过它呀？

村里的老人便带领大家朝天跪下，乞求玉帝能帮助他们除掉这个祸害。年主动向玉帝请战，他愿意带上红布和竹筒去降伏夕。

十二月三十那天，年驾着祥云从天而降。夕对年毫不理会，"呼哧呼哧"地继续向前走。年奋力甩出从天上带来的红布，红布像长了眼睛似的扑向夕的四只脚，将它们牢牢绑住。

nián yòu jǔ qǐ zhú tǒng duì zhǔn xī de shēn tǐ zhǐ tīng de pī li pā lā yí zhèn jù
年又举起竹筒，对准夕的身体，只听得"劈里啪啦"一阵巨

xiǎng zhú tǒng li pēn chū chuàn chuàn liè yàn shāo de xī pí kāi ròu zhàn xī zhēng zhá yì fān zài
响，竹筒里喷出串串烈焰，烧得夕皮开肉绽。夕挣扎一番，再

yě zhàn bu qǐ lái le
也站不起来了。

lǎo bǎi xìng men pā zài chuāng hu shang kàn dào nián bǎ xī shā sǐ le fēn fēn pāi shǒu chēng
老百姓们趴在窗户上，看到年把夕杀死了，纷纷拍手称

kuài dà jiā pǎo chū mén lái qìng zhù le liǎng tiān liǎng yè
快，大家跑出门来庆祝了两天两夜。

cóng cǐ yǐ hòu nóng lì shí èr yuè sān shí jiù jiào zuò chú xī wèi le jì niàn nián rén
从此以后，农历十二月三十就叫做"除夕"。为了纪念年，人

men bǎ zhēng yuè chū yī nà tiān jiào zuò nián
们把正月初一那天叫做"年"。

yuán xiāo jié
元宵节

hàn wǔ dì shí qī cháng ān chéng li yǒu yí gè pǔ tōng de mín
汉武帝时期，长安城里有一个普通的民

jiān nǚ zǐ jiào yuán xiāo tā zì yòu sàng fù hé mǔ qīn yǐ jí liǎng
间女子，叫元宵。她自幼丧父，和母亲以及两

gè mèi mei xiāng yī wéi mìng yīn wèi yuán xiāo zhǎng xiàng jùn qiào shí jǐ
个妹妹相依为命。因为元宵长相俊俏，十几

suì shí jiù bèi xuǎn jìn gōng li zuò le gōng nǚ
岁时就被选进宫里做了宫女。

nà yì nián de dōng tiān cháng ān chéng xuě huā fēn
那一年的冬天，长安城雪花纷

fēi yuán xiāo zhàn zài yù huā yuán de yì kǒu shēn jǐng páng
飞，元宵站在御花园的一口深井旁

xiǎng niàn jiā rén jīn bu zhù kū le tā de kū shēng
想念家人，禁不住哭了。她的哭声

zhèng hǎo bèi gōng li de yí wèi dà chén tīng dào le zhè
正好被宫里的一位大臣听到了。这

wèi dà chén hěn kuài xiǎng chū yì tiáo kě yǐ bāng zhù yuán xiāo jiàn dào jiā rén de miào jì
位大臣很快想出一条可以帮助元宵见到家人的妙计。

jǐ tiān zhī hòu gōng zhōng de dà xiǎo chén zǐ dōu shōu dào yì fēng shén mì xìn hán xìn shang
几天之后，宫中的大小臣子都收到一封神秘信函，信上

shuō cháng ān yǒu nàn shí liù tiān huǒ huǒ fén dì chéng
说："长安有难，十六天火，火焚帝城！"

nà wèi cōng míng de dà chén duì hàn wǔ dì shuō huǒ shén ài chī tāng yuán kě lìng quán chéng
那位聪明的大臣对汉武帝说："火神爱吃汤圆，可令全城

臣民于正月十五做好汤圆供奉他，求他高抬贵手。制作大红灯笼悬挂各处，并于正月十六的晚上燃放烟花，届时满城红光，必可骗过火神。让宫中的娘娘和臣等出宫观灯，以免去灾难，保皇宫平安。"

由于元宵的汤圆做得最好，所以汉武帝下令，供奉火神的汤圆全部由元宵来做。正月十六的晚上，元宵随着观灯的人流往前走，终于见到了日夜思念的家人。汉武帝决定以后每年的正月十五都做汤圆供奉火神。因为正月十五上供的汤圆是元宵做的，所以汤圆又叫"元宵"，这一天就叫"元宵节"。

清明节

春秋时期，晋公子重耳遭到奸臣的迫害，不得不带着介子推等随臣逃离了自己的国家。

十九年后，重耳在秦穆公的帮助下，重返自己的国家并当上了国君，他就是历史上的晋文公。

98

晋文公为感谢多年来跟随他出生入死的大臣们，重重地奖赏了他们，却惟独忘了介子推。很多人劝介子推去邀功，但介子推不为所动，反而决定带着自己的老母亲去一个叫绵山的地方隐居。晋文公听说了这件事后悔不已，亲自赶来绵山请介子推回去。要想从绵绵大山中找出两个人来，是一件非常困难的事。有人给晋文公出主意：介子推是个大孝子，如果放火烧山，他一定会背着母亲逃出来的。晋文公想了一下，就下令点火，火势从三面包围，其他的人在没有火的那面等待介子推和他母亲。大火烧了三天三夜，整个绵山都烧遍了，可是仍不见介子推的踪影。

火熄灭后，人们上山去寻找，在一棵已经烧焦的柳树下，发现了介子推和他母亲的尸体。晋文公后悔不已，失声痛哭。

晋文公为了纪念介子推，特意在绵山上修建了一座庙宇，并将绵山改名为"介山"。他下令今后每年的这一天，全国都要禁火、吃冷食，所以这天又叫"禁烟节"、"寒食节"。

第二年，晋文公率领众臣再次来到介山，但见万物复苏，草木萌动，一派春光明媚的景象。庙宇旁的柳树也已起死回生，抽枝发芽。晋文公便赐此柳为"清明柳"，寒食节的第二天就定为清明节。

zhōng qiū jié
中秋节

后羿因射日成了盖世英雄，受到老百姓的爱戴与尊敬。后羿的妻子嫦娥，善良美丽。他们恩恩爱爱，令人羡慕。后来，后羿得了一场重病，他想到自古以来人人都逃不了最后的一死。后羿得到高人指点，知道昆仑山上住着个与天齐寿的西王母。他就和嫦娥商量，一起去向西王母讨长生不死的仙药。两人跋山涉水，不畏艰辛，终于来到昆仑山。西王母得知后羿就是那个射日的英雄，便拿出两包不死药，成全了他们的心愿。夫妻俩高高兴兴回到家中，准备挑选一个好日子将药吃下去。后羿有一个徒弟，名叫逄蒙。这小子碰巧听见了后羿和嫦娥的对话，不禁动起了坏心思。

几天后，后羿率众徒外出狩猎，逄蒙便威逼嫦娥交出装药的锦囊。嫦娥抢先一步，抓住了锦囊，把两包仙药全部倒入口中。药一落肚，嫦娥一下飞到月亮上，这一天是农历的八月十五。为了表达对团圆的渴望与祝福，每逢八月十五，百姓们做出圆圆的面饼互相赠送，这就是中秋节。

zhōng yuán jié
中 元 节

cóng qián yǒu gè hái zi jiào mù lián yí cì
从前，有个孩子叫目连。一次，

tā zài jiē shang kàn dào yí gè hé shang xiǎng huà xiē
他在街上看到一个和尚想化些

shí wù chī kě shì méi yǒu rén yuàn yì gěi tā mù
食物吃，可是没有人愿意给他，目

lián jiù guò qù gěi le tā yì xiē chī de
连就过去给了他一些吃的。

hǎo hái zi xiè xie nǐ hé shang mō mo
"好孩子，谢谢你。"和尚摸摸

tā de xiǎo nǎo dai mù lián mǎn tóu dà hàn de pǎo huí jiā tái tóu kàn dào fó zǔ de huà xiàng xīn
他的小脑袋。目连满头大汗地跑回家，抬头看到佛祖的画像，心

tóu yí dòng zhè bú jiù shì gāng gāng zài jí shì shang huà yuán de hé shang ma
头一动：这不就是刚刚在集市上化缘的和尚吗？

cóng cǐ mù lián zǒng shì shī shě gěi qióng rén dōng xi mǔ qīn duì cǐ fēi cháng shēng qì mù
从此，目连总是施舍给穷人东西，母亲对此非常生气。目

lián zhǎng dà hòu chū jiā dāng le hé shang tā xiān zài miào yǔ zhōng xiū xíng sān nián rán hòu yóu
连长大后，出家当了和尚。他先在庙宇中修行三年，然后游

zǒu sì fāng tā yì biān huà yuán yì biān jiǎng jīng yǐ zì jǐ wēi bó de lì liang bāng zhù nà xiē xū
走四方。他一边化缘一边讲经，以自己微薄的力量帮助那些需

yào bāng zhù de rén yí lù shang liú xià le xǔ duō shàn jǔ
要帮助的人，一路上留下了许多善举。

dāng tā zài cì huí dào jiā zhōng shí mǔ qīn yǐ jīng bìng gù mù lián sī niàn mǔ qīn bù
当他再次回到家中时，母亲已经病故。目连思念母亲，不

zhī dào mǔ qīn zài lìng wài yí gè shì jiè guò de hǎo bu hǎo yí cì zài mèng zhōng tā kàn dào mǔ
知道母亲在另外一个世界过得好不好。一次在梦中，他看到母

qīn yī shān lán lǚ shòu gǔ lín xún xiǎo guǐ men zài qī fu tā
亲衣衫褴褛，瘦骨嶙峋，小鬼们在欺负她。

tū rán mù lián tīng dào le fó zǔ de shēng yīn hái zi rú guǒ nǐ xiǎng bāng zhù nǐ mǔ
突然，目连听到了佛祖的声音："孩子，如果你想帮助你母

qīn tuō lí kǔ hǎi bì xū zài měi nián nóng lì qī yuè shí wǔ bǎi shàng jì sì de lǐ pǐn zài hé
亲脱离苦海，必须在每年农历七月十五摆上祭祀的礼品，在河

zhōng fàng shàng lián huā dēng yǐn lǐng guǐ hún men dào dá píng ān xìng fú de dì fang mù lián yī fó
中放上莲花灯，引领鬼魂们到达平安幸福的地方。"目连依佛

suǒ yán ér zuò zhōng yú gǎn dòng le tiān dì mǔ qīn bèi lǐng jìn le jí lè shì jiè hòu lái nóng
所言而做，终于感动了天地，母亲被领进了极乐世界。后来农

lì qī yuè shí wǔ zhè yì tiān jiù bèi dìng wéi xiào qīn jìng qīn de jié rì zhè jiù shì zhōng yuán jié
历七月十五这一天就被定为孝亲敬亲的节日，这就是中元节。

duān wǔ jié
端午节

战国时期，楚国有个才华横溢的年轻人叫屈原。他二十六岁时就做了楚怀王的大臣，辅助楚怀王管理国家，楚国的老百姓都很敬重他。但屈原的智慧和才华遭到一些小人的强烈忌妒。秦国大臣张仪联络一帮小人拼命作祟，使屈原遭到冷落。

屈原眼看着国家一天天衰落，痛心疾首。即位的顷襄王昏庸无道，屈原一次次进谏，顷襄王不但不听，反而将屈原流放到汨罗江畔。在长期的流放中，屈原写下了许多著名的诗篇。

顷襄王二十一年，秦国大将白起攻破了楚国的都城——郢。消息传来，屈原绝望了。这位因爱国而受尽困苦的老人，在农历五月初五那天，怀抱一块大石头跳进汨罗江中。

百姓们非常怀念屈原，他们怕水中的鱼去吃他的肉，就包了粽子扔下去喂鱼。第二年，汨罗江边鼓声阵阵，一条条形象逼真的龙船在威武的号子声中摆开阵势，告诫鱼虾蟹们不要伤害屈原。从此，农历五月初五被人们定为端午节。到了这天，全国各个地方的人们都要赛龙舟、喝雄黄酒、吃粽子，来纪念屈原。

七夕节

从前，有一个放牛娃叫牛郎，勤快又老实。他为一头天上来的老黄牛清洗伤口，老黄牛为了感谢他，决定为他娶个媳妇。

第二天，正好是农历七月初七。老黄牛载着牛郎在玉池边接到了织女，一起飞回人间。从此，牛郎耕地，织女织布。一年后，他们生了一对可爱的双胞胎：金哥和玉妹。这时，玉帝和王母娘娘发现了织女和牛郎的事。

老黄牛知道这次自己活不了了，就对牛郎说："我死后，你剥下我的皮，用它做成衣服，你穿了就能飞到天上去。"很快，王母娘娘派遣天兵天将下凡，将织女捉上天。牛郎穿上黄牛皮，担了一副箩筐，前面装金哥，后面装玉妹，一起向天上追去。眼看就要追上了，王母娘娘猛地拔下头上的金簪，顺手一划，一道波涛汹涌的银河出现了！无情的银河把牛郎和织女隔在了两边。两个孩子哇哇地哭起来。玉帝不觉动了恻隐之心，于是颁下旨意，以后每年的七月初七，牛郎和织女可以在银河上相见。

阴阳泪救三命

有一天，济公酒瘾上来了，从灵隐寺跑出来，兴冲冲地到山下找酒喝。刚来到西湖边上，看见一个人把腰带系在树枝上，伸着脖子正要上吊。济公掐指一算，就明白是怎么回事了。于是走过去，也学那人的样子，把腰里系着的绳子解下来，拴在树上，一边把脖子往里套，一边说："死了死了，一死百了，我也要上吊！"

那人觉得奇怪，不上吊了，走过来问济公："和尚，你为什么要寻短见？"

济公说："我师父和我辛辛苦苦化了三年的缘，好不容易攒下五两银子，让我去买两套僧服。我爱喝酒，在酒馆中喝醉了。醒来后，发现银子全被人偷走了。我回去后没法向师父交代，他老人家不打死我才怪呢！我没法活了，还是一了百了，转世再投胎做人吧！"

那人一听，说："就为五两银子，

也不至于寻死呀！我口袋里还有五六两碎银。我是将死之人，留着也没用，你都拿去，向你师父复命吧！"

说着就掏出银子来给济公。

济公接过来扭头就走。那人见济公这么没礼貌，连道声谢都不知道，心里很不高兴。又转念一想，反正自己要死了，还跟他计较干什么？想罢转身又要上吊。谁知济公走回来问他："敢问恩人，你为何想不开？"这人叹了一口气，就把自己的故事从头到尾说给济公听。

原来，这个人名叫董士宏，浙江钱塘县人氏，上有一个老母。妻子生下一个女儿，名叫玉姐。后来妻子死了，母亲又病重，他没钱给母亲治病，就把女儿抵给了一个官宦人家做使女。说好十年后来赎，赎金是五十两银子。后来，母亲去世了。他安葬完母亲，独自出去打工，辛辛苦苦十年才攒下了六十两银子，准备把女儿赎回来团聚。谁知当他找到那家门上时，那家却因为升官，不知道到哪里就任去了。他走到钱塘门外，吃了几杯闷酒，竟倒头睡了起来。

谁知一觉醒来，发现自己那六十两银子又被人偷走了。他跌跌撞撞地来到西湖边，想想活着还有什么意思，干脆死了吧。

济公笑着说："你不要着急。我替你把女儿找回来，让你们骨肉团聚，好不好？"董士宏说："和尚，我把赎金丢了，你就是替我找到女儿，我也没钱把她赎回来呀！"济公说："这个我自有道理，你不用担心，跟我走吧！"董士宏半信半疑地跟着济公走。进了钱塘门，拐进一条巷内。济公吩咐说："你就在这里等着。等会儿如果有人问你的年龄和生日，你就直言相告。我今天一定叫你们父女相见。"董士宏回答道："多谢圣僧。"其实心里还在嘀咕呢。

济公也不管他，转身向路北的一座大门走去。门口站着几十个家丁，分明是一个官宦人家。济公摇摇破扇子，说："听说贵府老太太病重，我是来替老太太看病的。"家人见他穿得破破烂烂，一副乞丐样，都不相信，以为他是来骗吃骗喝的，就说："和尚，要化缘改天再来吧！"济公不理，吵着说自己能给老太太看病。家人使劲拦着不让进，不一会儿就惊动了主人赵文会。这赵文会是个孝子，一听说济公能治好母亲的病，忙把济公请进家里。

济公来到病床前，看

了看老太太。赵文会赶忙问道："圣僧，你看我母亲的病势怎么样？"济公一摇破扇子，笑眯眯地说："当然有救了！老太太就是被一口痰堵住了，因为她上了年纪，气血两亏，所以不能用药，你请再高明的大夫来都没用。这病只有我能治好，我来把这口痰叫出来。"于是济公走到老太太跟前，弓下身子，说："痰啊，痰啊，你快出来吧！"旁边的家人看了都想笑。没想到老太太果真咳出一口痰来，一下子觉得神清气爽了。

只见济公不慌不忙，又从怀里掏出一粒香气扑鼻的大黑药丸，就要往老太太嘴里塞。赵文会也不知道这是什么药，济公见他有点怀疑，就告诉他说："我这药叫八宝伸腿瞪眼丸，人间杂症它全都治！"赵文会也不说什么，听凭济公把那药丸给老太太服了下去。

老太太服了药，立刻痊愈了。原来，赵文会有一个小儿子，本来聪明伶俐，有一天受了惊吓就昏迷不醒了。老太太知道了，心疼孙子才病倒的。赵文会赶忙又求济公："活佛！您老人家就再发发慈悲，救救我儿子吧！"

济公说："要给你儿子治病不难，但你要帮我做件事，我才能治好他的病。"赵文会问是什么事，济公说："给你儿子治病，我这药需要个药引子。必须是个五十二岁、五月初五生日的男子，和一个十九岁、八月初五生日的女子，把这两个人的眼泪合在一起做药引子，才能治好你儿子的病。"

赵文会就让家人去找这五十二岁的男子。结果问遍了全家和外面的亲戚朋友，都没有这样的人，不是年纪不对，就是生日不对。大家就到外面找，见门口站了一个人，年纪五十岁左右，家人忙上去问："老兄贵姓？"那人说："我姓董名士宏，钱塘人氏，在这里等人。"家人问："老兄五十二岁吗？"答道："不差。"又问："五月初五生日吗？"答道："不差。"

家人忙过去拉住他："董爷快跟我来，我家主人有请。"董士宏不明白是怎么回事，家人把药引子的事对他说了，董士宏才跟他们进去。众人引见完毕。济公说："男的找到了，该去找那个十九岁、八月初五生日的女子了。"董士宏听了，年岁和生日跟自己的女儿一毫不差，心里有些不安。过了一会儿，家人进来说：

"姑奶奶的丫鬟春娘是十九岁，八月初五的生日，把她给找来了。"只见从外面进来一个女子。

董士宏抬头一看，那不正是自己失散了多年的女儿吗？心里一阵难过，落下泪来。那姑娘一见是自己的父亲，也扑上去，啼哭起来。济公哈哈大笑，说："我今天是三全其美啊！"忙让人接了二人的泪水，用这泪水化开药丸，给赵公子灌了下去。赵公子喝了药，很快就醒过来，病全好了。

　　济公就把董士宏丢了银子要上吊，自己救他父女团圆的经过一五一十地讲给赵文会听。赵文会拿出一百两银子，交给董士宏，让他把春娘领走。父女终于团圆了，董士宏父女谢过恩后，欢天喜地地走了。

　　赵文会又谢过济公，拿出一百两白银，对济公说："师父，拿去做身衣服吧。"济公笑了笑说："我穿不惯新衣服，就这身是最好的。"说罢摇摇破扇子，趿拉着破僧鞋，告辞而去。

　　赵文会送出门去，只听济公一边走，一边高唱："走走走，游游游，无事无非度春秋。自古当年笑五侯，含花逞锦最风流。怎如我潇潇洒洒，怎如我荡荡悠悠，终日快活无人管，也没烦恼也没忧。我也会唱我也会歌，我也会刚我也会柔。天不管，地不管，快快活活傲王侯。"

　　从此，济公活佛能起死回生、排忧解难的名声就传出去啦。

qiǎo jì jiù xiào zǐ
巧计救孝子

有一天，济公在杭州城内闲逛，当时正是初春时分，桃红柳绿，燕舞莺啼，街上行人熙熙攘攘，甚是热闹。

济公行至钱塘门外，见大道旁边有一个卖狗肉的担子。那个卖狗肉的，正蹲在远处一个破旧的茅厕下方便呢。济公慧眼一看，知道这人要有大难了。拍一拍脑门，计上心来，决心救他。济公远远儿地喊了他几声："喂，这是谁家的狗肉担子？有人吗？"那人因为离得太远，没有听见。

原来，这人姓陈，名叫阿福，住钱塘门内，家里有老母和妻子韩氏，以卖狗肉为生（宋朝时候，允许买卖狗肉）。

这阿福倒是个勤快人，干活麻利，不怕辛苦，就有一点不好，他生性多疑，和母亲

住在一起，总是猜忌再三，经常和母亲斗嘴，出言不逊，不是很孝顺。妻子贤惠，总是劝他："母亲这么大年纪了，一辈子辛辛苦苦也不容易。你就不要再无事生非，惹她生气了。"可是阿福不听，依旧我行我素。母亲含辛茹苦把他养大，见他这样对待自己，很是伤心，常常暗自落泪，韩氏就时常宽慰她。

话说这一天，阿福清早起来，在家里把狗肉煮上锅，叫韩氏看着，自己走出来，要买些狗回去。走进一条胡同，见路北门口蹲着一个人，商人打扮，那人身边还有两条狗，一条大的，一条小的。

阿福看见了，就走上前去看那狗。那人见阿福盯着狗直看，就对阿福说："你想要这两条狗吗？我是做生意的，平时时间紧，没工夫养狗。谁知有一天跑来一条野狗，我轰也轰不走，没办法，就把它关在院子里。谁知这天晚上，那狗叫得很厉害，家里人都被吵醒了。结果一开门，正好看见一个贼翻墙头跑掉了。我这才知道这条狗是看见贼进来才叫的呀。过了一年，这条狗又生了一条小狗。最近我们家刚添了小孩，怕小孩被狗咬了，就想把这两条狗送人。如果你想要，就一起送给你吧！"那人并不知道阿福要狗是煮熟卖狗肉的。阿福连忙向那人道谢，牵着两条狗欢欢喜喜地回家了。

回到家里，他想先把大狗杀了，煮熟后挑出去卖。阿福收拾好东西，把那条大狗用绳子捆在院子里的树上，拿了把刀要杀狗，忽然发现忘了拿盆子。他就把刀搁在院子里，到屋内拿盆子出来。谁知出来一瞧，刀不见了。过了一会儿，妻子走过来说："你看，小狗在屋里桌子底下趴着，嘴里还叼着那把尖刀呢。"

阿福进屋一看，那条小狗蜷在桌子底下，一边叼着刀子，一边发抖呢。阿福上前，一脚把小狗踢开，拿起刀子冲出门要杀那大狗。没想到小狗也跟着跑过来，趴在大狗身上，可怜巴巴地瞧着阿福。只见小狗眨巴眨巴眼睛，眼泪竟然一滴一滴地落下来。阿福自从做这狗肉生意以来，不知杀了多少条狗，从来没见过狗落泪。这次一见这光景，以为是中了邪，吃了一惊，倒退几步，大叫起来。妻子和母亲吓了一跳，忙跑过来看阿福是怎么了。这时，那条小狗又扑到阿福跟前，紧紧咬住他的裤脚，一边望着绑在树上的大狗，一边嘴里呜呜叫着，仿佛在哀求阿福不要杀它的妈妈。阿福愣住了，刀子掉到地上都不知道，心里想："狗都知道爱护

自己的母亲，何况我是个人呢！"

阿福一边把大狗小狗都放开，一边说："我也不杀你们了。如果你们母子两个愿意在我这里待下去，我就每天按时喂养你们；如果不愿意，你们就自寻生路去吧！"

说完，阿福转身一下子跪倒在母亲面前，眼含泪水说："母亲，儿子以前不孝，常常在您老人家面前说不该说的话，真是罪该万死。从今以后，我一定洗心革面，重新做人，好好儿孝顺您老人家。"老母亲听了，又惊又喜。妻子在旁边说："只要你好好儿孝敬老人，咱们的日子就会越过越好的。"阿福又说："今天出去，把这一锅狗肉卖了。明天改行做个小本生意，再也不干这杀生的营生了。"

说罢，阿福吩咐妻子照顾母亲，自己挑着狗肉出了门。平时每天走出来，不一会儿这一担狗肉就会卖完，不知怎么回事，今天走了十几条胡同，还没有开张呢。转到晌午时分，行至钱塘门外，阿福突然觉得腹中疼痛，想找个地方方便一下。好不容易找到一个破茅厕，断壁残垣受到风雨的侵蚀，仿佛支撑不住快要倒了。阿福也顾不了那么多，狗肉担子往旁边一放，就匆匆忙忙地跑进去了，也没想这破茅厕会有危险。

yě jiù zài zhè shí jì gōng fā xiàn le ā fú
也就在这时，济公发现了阿福。

jì gōng yí kàn jiù míng bai le tā de shēn
济公一看，就明白了他的身
shì zhī dào tā yuán lái bú xiào dàn xiàn zài
世，知道他原来不孝，但现在
yǐ jīng gǎi guò zì xīn chóng xīn zuò rén le
已经改过自新，重新做人了。

jì gōng wèn tiāo ròu dàn de shì shéi wèn
济公问挑肉担的是谁，问
le jǐ shēng dōu méi rén dā ying jì gōng tiāo
了几声，都没人答应，济公挑
qǐ ròu dàn jiù pǎo ā fú zài máo cè li hū
起肉担就跑。阿福在茅厕里，忽
rán tīng jiàn wài miàn yǒu rén hǎn yǒu rén tōu gǒu
然听见外面有人喊："有人偷狗
ròu le tā tí shàng kù zi jí jí máng máng pǎo chū lái fā xiàn yí gè fēng hé shang tiāo zhe
肉了！"他提上裤子，急急忙忙跑出来，发现一个疯和尚挑着
zì jǐ de gǒu ròu dàn zi yì biān fēi kuài de pǎo zhe yì biān shēn shǒu cóng kuāng li ná gǒu ròu wǎng
自己的狗肉担子，一边飞快地跑着，一边伸手从筐里拿狗肉往
zuǐ li sāi ā fú yí kàn xīn téng huài le gǎn jǐn zhuī le guò qù yì biān hǎn zhe zhuā zéi
嘴里塞。阿福一看，心疼坏了，赶紧追了过去，一边喊着："抓贼
la zhuā tōu gǒu ròu de zéi la zhè shí zhǐ tīng hōng lōng yì shēng ā fú huí tóu yí kàn
啦！抓偷狗肉的贼啦！"这时只听"轰隆"一声，阿福回头一看，
nà máo cè sì zhōu de qiáng bì quán dōu dǎo le xìng hǎo lǐ miàn méi yǒu rén
那茅厕四周的墙壁全都倒了，幸好里面没有人。

ā fú bù yóu de yòng shǒu pāi pai nǎo mén er àn zì qìng xìng hǎo xiǎn na rú guǒ bú
阿福不由得用手拍拍脑门儿，暗自庆幸："好险哪！如果不
shì hé shang tōu wǒ de gǒu ròu zhè cì kěn dìng bèi zá sǐ zài lǐ miàn le
是和尚偷我的狗肉，这次肯定被砸死在里面了。"

ā fú huí guò shén lái tā de gǒu ròu dàn zi hái zài hé shang nà lǐ ne jiù jí máng zhuī
阿福回过神来，他的狗肉担子还在和尚那里呢，就急忙追

shàng qù děng ā fú zhuī dào nào shì
上去。等阿福追到闹市
li fā xiàn nà hé shang jìng zhàn zài dà
里，发现那和尚竟站在大
jiē biān nà gǒu ròu dàn zi fàng zài shēn
街边，那狗肉担子放在身
páng zhèng yì shēng yì shēng de jiào mài
旁，正一声一声地叫卖
ne gǒu ròu la mài gǒu ròu la
呢："狗肉啦！卖狗肉啦！
shàng hǎo de gǒu ròu bù hǎo chī bú yào qián zhǐ
上好的狗肉，不好吃不要钱！"只
jiàn rén men nǐ yí kuài wǒ yí kuài dōu zhēng zhe
见人们你一块，我一块，都争着

来买这狗肉。阿福气不打一处来，抓住那和尚，大声说："你这和尚好不讲道理，竟然抢别人的狗肉担子，还敢在光天化日之下卖我的狗肉！"

说这话时，那一担子的狗肉都快卖光啦！济公一边收钱，一边不慌不忙地说："我救了你一命，还在这里替你卖狗肉，你应该感谢我才是呀！"阿福听了，才明白过来这和尚是有意救他的，连忙道谢，说："师父，多谢你，要不是你，我早被土墙压死了。"

济公一翻眼睛，说："对，你今天一大早起来，兴许没跟你妈妈吵嘴吧？"阿福听到济公这样说，心里一愣，问他："师父，你是哪个庙的？"济公就告诉了他。阿福这才知道是济公活佛，倒头就要拜。济公摆了摆手，让阿福站起身来，然后从袖子里摸出几块碎银子来，递到阿福手里，说："这是刚才替你卖狗肉的钱，拿回去孝敬母亲吧！不过，担子里还剩一点狗肉，就送给我吧！"阿福就把剩下的狗肉用纸包成一包，递给济公。济公拿起狗肉，往怀里一揣，笑嘻嘻地走了。

阿福从此不再卖狗肉了，做起了鲜果生意。因为阿福勤快，再加上妻子的帮忙，生意一直很红火。他和妻子一起孝敬老母亲，一家人日子过得和和美美。后来，街坊邻居一见阿福就夸他，说他是个"孝子"。

施法斗蟋蟀

这一天，济公闲来无事，手摇破扇子，脚上穿着一双破鞋，摇摇晃晃走出了临安城，一边走，一边唱歌，引得行人驻足观望。

刚出城门，济公忽然看见一个人在河边徘徊。那人盯住河水，做出要跳河的样子，刚要往下跳，济公上前一把拉住他，说："朋友，你为什么要跳河？你跟我说说，看我能不能帮你一把。"

这人叹了一口气，说："师父，我遇到的这种事你帮不了啊！"原来这人叫张煜，是钱塘县人。他在家里孝敬母亲，还有一个妻子刘氏，一家三口相依为命过日子。

张煜在钱塘关天竺街开了一家专做小家具的木匠铺。他手艺精通，为人又非常老实，经常在城里的官宦人家揽活儿，做点桌椅板凳之类的家具。

罗丞相的二公子财大势大，经常让张煜到府里来做家具、维修东西。这罗公子酷爱斗蟋蟀，家里养了很多蟋蟀。

这一天，罗公子坐在客厅的太师椅上，一边喝茶，一边指指画画地让家人收拾所养的那些蟋蟀。

罗公子有一只蟋蟀王，名叫"玉金刚"，每次出去跟别人的蟋蟀相斗，必赢无疑。罗公子常常以斗蟋蟀与人赌博，这"玉金刚"为他赢了很多钱。罗公子视它为心肝宝贝，格外珍惜。

这一天，张煜正好也在罗公子府上。他早就听说了"玉金刚"的大名，也非常想见识一下。于是，他趁客厅里的人都走开的时候，走了过去，小心翼翼地把装着"玉金刚"盆子的盆盖儿打开。只见"玉金刚"蹲在盆里，一动也不动，好像不是那么威风。张煜用手指轻轻地碰碰它的须子，谁知那"玉金刚"呼的一声从盆子里跳出来，三蹦两跳地跑了个无影无踪。

张煜吓得满头大汗，怎么也找不到"玉金刚"。这时，家人发现他把"玉金刚"给弄跑了，赶紧报告了罗公子。

罗公子一听气坏了，立刻命令家人把张煜捆上，痛打了二百皮鞭。直打得张煜皮开肉绽，只有进的气，没有出的气，然后把他吊在马棚里。

幸亏张煜平日为人和气，罗公子府里一些好心的家人替他苦苦求情，罗公子总算答应可以放过他，但限期三天让他找回"玉金刚"，找不回来就要赔一千两银子。

被放出来后，张煜一路愁眉苦脸地往家里走去。回到家里，也不敢把这件事情告诉母亲、妻子，自己心里不断地想："玉金刚"恐怕是找不回来了，自己无论如何也凑不齐一千两银子。如果罗公子生气了，肯定会把自己打死，还不如死了算了。但一想自己一死，留下老母亲和妻子，孤苦伶仃，无人照看怎么办呢？想来想去简直无路可走，还得强装笑容，不想让母亲和妻子知道了跟着担惊受怕。

张煜想着想着，不知不觉就离开家，走到了自己的小木匠铺里。店里有个伙计叫刘连，忠厚老实，见他愁眉苦脸，连忙问他："张大哥，你不是在罗府里干活吗，为什么这样愁眉苦脸啊？"

张煜不愿意告诉他实情，只是说："罗府里的活已经干完了，我现在是专门来找你的。我要跟别人一起去外地买些楠木回来卖，来回路比较远，

可能需要一段时间。我走了以后，店里的生意你来打点，赚的钱全归你，我分文不要。只是我不放心家里的老小，希望你每天按时送些生活必需品过去，帮我照看一下。"

刘连一听，也非常愿意，对他说："张大哥，你放心吧，你家里有我照顾！"张煜见伙计答应了，就离开店，一边走一边想：现在老母亲和妻子有人照看了，我就是死也放心了。如果不死，三天期限一满，蟋蟀找不到，也没银子，还不是被罗公子活活打死啊？张煜越想越难过，不知不觉来到了这里，正好碰见济公。济公听了，对张煜说："这件事也没什么大不了的。你跟我来，我保管你没事，好不好？"张煜说："和尚，你说的都是真的吗？"济公说："一点都不骗你。"张煜又问："师父在哪个庙里？"济公说："我就是西湖灵隐寺里的济颠哪。"张煜一听，说："原来是圣僧。"说完倒身就拜。

济公扶起他说："你跟我来吧！"走着走着，济公问："你有三百文钱吗？"张煜也没敢问，赶紧掏出钱递给了济公。走到了市集上，看那边有卖蟋蟀的，济公上前，看也不看就花三百文钱买了三只，放在僧帽里，然后，他们来到"望江楼"前。

119

他们一转身进了酒楼，到了后院，看见罗公子正坐在那里。罗公子问："活佛来此贵干？"

济公说："为张煜而来。他放跑了你的'玉金刚'，我有一只比'玉金刚'还要好的蟋蟀，替他送来，你就饶了他吧。"

罗公子说："既然是活佛来说情，只要有好蟋蟀给我就行，我放过他算了。"于是济公从袖中掏出一只蟋蟀来，个头很大，浑身油光发亮，翘着两根须子，看起来非常威武。

罗公子一见，十分高兴，说道："这个看起来真不错！但不知道斗起来厉害不厉害？"济公说："那还用说，我这蟋蟀能斗公鸡呢！"

罗公子听了哈哈大笑，说："您别开玩笑了。公鸡是蟋蟀的天敌，一见蟋蟀就吃，哪有蟋蟀能斗公鸡的？如果真能斗鸡，我输给你一千两银子。"济公说："如果斗不过公鸡，我给你一千两银子。我这蟋蟀名叫金头大大王，还有两只也是上好的：一只叫银头二

大王，另一只叫镇山五彩大将军。"

罗公子听了，心中半信半疑，叫家人到外边买了一只大公鸡来，放在地上，济公把蟋蟀也放在地上。只见那蟋蟀一跳，

正跳在公鸡头上，一口咬住鸡冠，咬得那鸡咯咯拼命直叫。罗公子一看，高兴坏了，说："活佛，我也不叫张煜赔我的蟋蟀了，您老人家把你的三只蟋蟀都卖给我吧！"济公说："我就都卖给你算了，有一只算我替张煜赔你的。你就给我两千两银子吧，替我送到灵隐寺，给那些穷和尚换换衣服。"

罗公子心想，这蟋蟀这么厉害，可要发大财了，于是满口答应，立刻派人往灵隐寺送银子去。济公把三只蟋蟀都给了罗公子，然后把张煜叫来当面说明了。张煜千恩万谢，欢欢喜喜回家去了。那蟋蟀果然厉害，斗败所有对手，替罗公子赢了几百两银子。有一天，一不留神，那三只蟋蟀全跳到地上，转眼就不见了，罗公子连忙让家人去找。忽然听见蟋蟀在墙壁里叫，罗公子就气急败坏地命令家人拆墙。把墙拆开后，又找不到。这时只听见北上房台阶里有蟋蟀叫，赶忙让人把石头全搬起来，仍然没有找到。罗公子不死心，指挥家人左拆右拆，直到把所有的房子都拆掉了，还是不见踪影。罗公子看着断壁残垣，心疼坏了。

fēi lái fēng
飞来峰

从前，四川峨眉山有座会飞的山峰。它一会儿飞到东，一会儿飞到西。

南宋的时候，浙江灵隐寺有一位道济和尚。他不敲木鱼不念经，又喝酒又吃肉，每天摇着一把破蒲扇，趿拉着一双破布鞋东游西逛。

这天，道济站在门口伸伸懒腰，闭上眼，掐指一算：不好！午时三刻，将有一场大灾难降临在灵隐寺前。他冲出寺门，一路大叫："有座山峰飞来了！"

道济往村里跑，半路碰上卖菜的老妈妈。老妈妈说："大师父可真会寻开心，谁见过会飞的山峰呢？"

到了村里，道济挨家挨户去劝说，喉咙都冒烟了，就是没人信他。太阳越升越高，眼看中午快到了。忽然，村头传来一阵"滴滴答答"的声音，有户人家正在

办喜事。道济眼睛一亮，兴冲冲挤到人前把新娘子往肩上一扛，拔腿向村外飞跑。

办喜事的人家抓起扁担、扫把，一边追一边喊："和尚抢新娘了！"全村人都轰动了，一起呐喊着追出村来。

村民们追了十几里路，刚要追上道济，霎时间，天昏地暗，只听"轰隆"一声巨响，把大家掀翻在地。人们爬起时，看见一座巨大的山峰正好压在村庄上。

人们这才明白，道济和尚抢新娘原来是为了救大家的性命。大家一下跪倒在地，给道济和尚磕头，感谢活佛救命大恩。道济拍着脑门说："大家先别高兴，这山峰得凿上五百尊罗汉像，才不会飞到别处去害人。你们干不干？"众人齐声说："干！"

五百尊罗汉像凿好后，这座山峰就永远停在了灵隐寺前面，它就是今天的"飞来峰"。

gǔ jǐng yùn mù
古井运木

zì cóng jìng cí sì bèi huǒ shāo guāng
自从净慈寺被火烧光
hòu sì li liǎng sān bǎi gè sēng rén méi chù
后，寺里两三百个僧人没处
luò jiǎo dà jiā dōu hěn zháo jí zhǐ yǒu jì
落脚，大家都很着急。只有济
gōng hái shi chī bǎo hē zú yī jiù
公还是吃饱喝足，依旧
wǎng chái fáng li yì tǎng shuì jiào qù
往柴房里一躺，睡觉去
le hǎo xiàng shén me dōu bù guān tā
了，好像什么都不关他
de shì shì de
的事似的。

lǎo fāng zhàng yōu xīn chōng chōng de duì tā shuō jì diān sì yuàn shāo chéng zhè ge yàng zi
老方丈忧心忡忡地对他说："济颠，寺院烧成这个样子，
nǐ yì diǎn yě bù nán guò ma
你一点也不难过吗？"

jì gōng xiào xī xī de shuō shāo dōu shāo guāng le nán guò yǒu shén me yòng a zài gài
济公笑嘻嘻地说："烧都烧光了，难过有什么用啊？再盖
zuò xīn de hǎo la lǎo fāng zhàng xū le yì kǒu qì shuō ài gài zuò sì yuàn nǎ yǒu nà me
座新的好啦！"老方丈吁了一口气说："唉，盖座寺院哪有那么
róng yì a děi yào duō shao mù tou a yì shí
容易啊？得要多少木头啊？一时
dào shén me dì fang qù mù huà ne yǎn kàn tiān
到什么地方去募化呢？眼看天
jiù yào liáng le zhè quán sì shàng xià zhè me duō
就要凉了，这全寺上下这么多
rén gāi zěn me bàn ne
人该怎么办呢？"

jì gōng tīng le yáo le yáo pò shàn zi
济公听了，摇了摇破扇子，
hā hā dà xiào zhe shuō zhè yǒu shén me nán
哈哈大笑着说："这有什么难
de yí qiè dōu bāo zài wǒ shēn shang le dàn wǒ
的！一切都包在我身上了！但我
yǒu yí gè tiáo jiàn wǒ yào hǎo jiǔ hǎo ròu chī
有一个条件，我要好酒好肉，吃

饱喝足，才有力气干活。"老方丈听了，只得应允了，心里想：这济颠，虽然平时疯疯癫癫，但在紧要关头，他却聪慧过人。上一次，都怪我没有弄懂他的意思，结果烧了

净慈寺。这次就听他的算了，说不定他能募化到盖寺院需要的木头呢！

"好吧，这次我就信你一回。我这就让小沙弥给你打酒买肉去，你可要说到做到啊！建寺的木头就全靠你了！从今天起，你就去化缘吧！"老方丈说。

济公听了，笑嘻嘻地说："方丈，那就谢谢您老人家了！我保证数日之内把木材凑齐！""什么？数日之内就能将全部木材凑齐？"大家听了，都有点不敢相信，以为济公又说胡话了。是啊，数日之内就靠化缘凑齐几十根上好的木头，真比登天还难哪！

没想到济公一点都不着急，毫无动身的意思。等到酒肉到了手，他就大口吃喝起来。众僧看了，都捂着鼻子避得远远的。老方丈对他也无可奈何，只是一个劲儿地合掌祈祷："阿弥陀佛，善哉善哉！"这次济公喝得太多啦，喝着喝着就睡着了，一直睡了三天。

老方丈没有办法，又来找济公，寺里的和尚们也远远地跟了过来。济公还在睡呢。老方丈推了推他，济公伸了个懒腰，说："什么时辰了？"

众僧都捂着嘴笑："都过去三天了，还什么时辰呢！"方丈说："济颠，三天都过去了，你还在睡！你的木头什么时候能化回来啊？我们可都在等着呢！"济公说："方丈，不要担心，我现在就去化。三天之内，我保证把所有的木头都给你们化回来。"只见济公一翻身，便一个筋斗翻进旁边的酒坛里，不见了踪影。众和尚一见，面面相觑，惊讶得不行，都想："原来济颠还有这本事呀！"

济公这一筋斗，一下就翻到了四川。他来到一家大财主家。那财主独占了好几座山头，对他的佃农却十分狠毒。济公停在他家门口，一个劲儿地敲木鱼。那财主听见门外木鱼响个不停，就出来问道："和尚，你是从哪里来的呀？"

济公回答说："我从杭州西

湖净慈寺来的。因为我们寺院被大火烧了，特地赶来向你募化一些木头去盖寺院。"

那财主便问："你想要多少木头呢？"济公听了，不紧不慢地敲着木鱼唱道："少不成，多不要，不多也不少。喏喏喏，袈裟盖，袈裟包，盖住包住就够了，就够了！"

那财主听了哈哈大笑。他本来只是随口问，也没打算给木头，但听济公这样说，又一看他那件破得满是窟窿的破袈裟，心里不禁暗暗好笑：啊！原来是个疯和尚啊！这件破袈裟连根树枝儿也包不了，我就乐得做个善人吧！于是就满口答应下来。

济公连忙道谢，从身上脱下那件破袈裟，抬头看了看，笑眯眯地朝一座山头抛去。只见那袈裟随风长大，一下子把整个山头都罩住了。

那财主吓得目瞪口呆，做梦也没想到这疯和尚竟有这么大的法力，不过自己已经有话在先，也就不好反悔了。

济公一挥手，几十棵大树就倒了。他又吹一口气，木头顺着长江水流到东海里，然后又漂进钱塘江。江上把关卡的人见了，拦住木头要抽税。济公听了，笑嘻嘻地问："木头从水面上过要抽税，那么从水底下过要不要抽税呢？"把关卡的听到这疯话也乐了，就哈哈大笑道："和尚，你若有本事叫木头沉到水底，我就不抽你的税！"

话音才落，只见济公双脚在木筏上用力一踩，呼的一下子，就连人带木头一齐沉到江底去啦。那个把关卡的看了，吓得慌忙逃走了。济公回到净慈寺，对方丈说："木头已经化到了！"老方丈一看，就济公一个人进来，哪里有木头啊？众僧也都齐声问道："木头在哪里呢？"济公破扇子一摇，笑嘻嘻地说："木头已从钱塘江上运到寺里的醒心井，叫人到井口搭起木架，装上辘轳，一根一根拉上来就是了。"

大家跟着济公来到寺院的醒心井旁，济公用扇子一挥，说："木头，木头，快出来！"大家只听到水井里"咕咚咕咚"地响着，不一会儿，只见一根又粗又长的木头果真从

井里冒出头来了，大家都感到十分惊讶。

众僧人用辘轳将木头拉了上来。一直拉到第七十根时，在旁边估算木料的木匠师傅随口说了声："够

了！"话音刚落，井里还有一根木头就再也拉不上来了。从此后，醒心井被称为"神运井"，又叫"运木古井"。井上还建起了亭子，那最后一根木头就留在井底，成为净慈寺最吸引人的景观之一。

可是到了该上梁的时候，还差一根大梁。

于是大家又去找济公，只见济公正在摆弄一堆刨花和木屑呢。济公用扇子一扇自己面前的那堆刨花和木屑，说："这不是大梁吗？"大家低头一看，果然一根大梁正躺在地上呢。只见这根大梁疙疙瘩瘩，不像是一般的木头那样光滑。一个木匠跑过来量了量尺寸，兴奋地说："正合适啊！"

净慈寺又建好了。人们都有点不相信，纷纷前来观看，只见大殿直耸云霄，很是巍峨壮观。大家纷纷赞叹说："净慈寺果真是名不虚传哪！肯定有佛祖保佑，才能用这么短的时间就重修好了。"于是，净慈寺的名声越来越大，来净慈寺烧香拜佛的人更多了，香火比以前还要旺盛。

yán jiàn shēng lín zhōng miè dēng jīng

严监生临终灭灯茎

yì tiān qīng chén guǎng dōng gāo yào xiàn tāng zhī xiàn gāng bàn wán yì qǐ
一天清晨，广东高要县汤知县刚办完一起

hěn jí shǒu de àn zi zhèng yào tuì táng hū rán jìn lái yí gè rén hǎn yuān
很棘手的案子，正要退堂，忽然进来一个人喊冤。

tāng zhī xiàn máng ràng rén bǎ tā dài shàng táng lái shěn wèn
汤知县忙让人把他带上堂来审问。

zhè ge rén jiào wáng xiǎo èr tā yào zhuàng gào xiàn
这个人叫王小二，他要状告县

lǐ de dà hù yán zhì zhōng zhè ge yán zhì zhōng shì
里的大户严致中。这个严致中，是

gè gòng shēng tā yǒu gè dì di jiào yán zhì hé shì gè
个贡生。他有个弟弟叫严致和，是个

jiàn shēng qù nián sān yuè yán gòng shēng jiā yǒu tóu cái
监生。去年三月，严贡生家有头才

shēng xià lái de xiǎo zhū pǎo dào le wáng xiǎo èr jiā bèi wáng xiǎo èr sòng huí dào yán jiā nǎ zhī
生下来的小猪跑到了王小二家，被王小二送回到严家。哪知

yán jiā rén shuō zhū dào bié ren jiā lǐ zài huí lái zuì bù jí lì yìng bī zhe duì fāng ná chū bā
严家人说，猪到别人家里再回来，最不吉利，硬逼着对方拿出八

qián yín zi bǎ xiǎo zhū mǎi le děng dào zhè kǒu zhū zài wáng jiā bèi yǎng dào yì bǎi duō jīn zhòng
钱银子，把小猪买了。等到这口猪在王家被养到一百多斤重

shí méi céng xiǎng yǒu yì tiān pǎo dào yán jiā qù le
时，没曾想有一天跑到严家去了，

yán jiā bǎ zhū guān le qǐ lái děng dào wáng xiǎo èr de
严家把猪关了起来。等到王小二的

gē ge wáng dà dào yán jiā tǎo zhū shí yán gòng shēng
哥哥王大到严家讨猪时，严贡生

shuō zhū běn lái jiù shì tā de yào lái tǎo zhū děi
说，猪本来就是他的，要来讨猪，得

àn dāng shí de shì chǎng jià ná jǐ liǎng yín zi shú huí
按当时的市场价，拿几两银子赎回

qù wáng dà dāng shí shí fēn qì fèn jiù tóng yán jiā
去。王大当时十分气愤，就同严家

chǎo le jǐ jù què bèi yán gòng shēng de jǐ gè ér zi
吵了几句，却被严贡生的几个儿子

dǎ le gè bàn sǐ lián tuǐ dōu bèi dǎ shé le rú jīn
打了个半死，连腿都被打折了。如今

tā tǎng zài jiā lǐ yóu xiǎo èr lái tì gē ge hǎn yuān
他躺在家里，由小二来替哥哥喊冤。

130

汤知县气得一阵大骂："一个贡生，不在乡里做好事，还到处骗人，实在可恶！"于是一挥笔，将状子批了，令衙役赶快将严贡生抓过来。

衙门里早有人把这话暗地里通知了严贡生。严贡生慌了，心里想："这件事确确实实是真的，还是'三十六计，走为上策'。"于是他急忙卷好行李，跑到省城里去了。

衙役们来到严家，发现严贡生早已经逃走了，只得去找严致和。严致和见差人说及此事，心里十分害怕，自然不敢怠慢这些人，一边留他们吃饭，一边让仆人去请两个阿舅商议对策。他这两个阿舅，一个叫王德，一个叫王仁，都是当地有名的秀才，听说妹夫有请，就一起来了。王仁笑着说："平日里你常说同汤知县交情很深，怎么现在连这点儿事都怕？"严致和说："这话就不说了。反正哥哥已经跑掉了，衙役们在我家里吵着要人，我怎能丢下家里的事出去找他呢？再说他也不肯回来。"

王仁说："我们兄弟两个找到王小二，把猪还给王家，再拿些银子给他医治打坏了的腿也就是了。"严监生在衙门共花了十几两银子，总算把官司给了了。

没多久，严监生的夫人王氏病了。小妾赵氏整天在旁端汤送药，还时常抱着自己三岁的儿子在床头坐着哭泣。一天夜里，赵氏哭着说："我现在只求菩萨把我带去，以保佑大娘。如果大娘有个三长两短，爷又要娶个大娘。我这孩子如果落到别人手里，料想也不能长大。我不如早点替了大娘去，还保得这孩子一命。"王氏没有儿子，她听了赵氏的话半信半疑。

一天晚上，王氏见赵氏出去了好一会儿也没回来，便问丫鬟："赵家的哪儿去了？"丫鬟说："她每天晚上都在天井里摆个香桌，哭天求地，要替奶奶去死。今夜看见你病重，就早些时候出去祷告了，至今未回。"王氏似信非信。次日，赵氏又向王氏哭诉这些。王氏说："我向爷说明白，我若死了，就把你扶正，怎么样？"赵氏忙派人请爷进来，把王氏的

话说了一遍。严监生听到这样的话，便连连点头说："既然奶奶这样想，那么明日就请二位舅爷过来，做个证人。"

第二天，严监生就把王氏的想法向两位舅爷说了。一起吃饭时，两位舅爷都

132

不提把赵氏扶正的事。严监生拿出两封银子，每封一百两，还掉下泪来，说："令妹嫁到我家二十年，真是弟的贤内助。如今丢了我去了，这可如何是好？她自己积下的一点东西，也要留给二位老舅做纪念。"说完，他把银子分别递给了他们。

王仁拿到银子后，就说道："其实妹妹决定扶正赵氏是件好事，只是你还犹豫不决，枉为男子。"王德也说道："我的妹妹去了，你若另娶一人，各养的各疼，赵氏的儿子恐怕会受罪的，这叫我们怎安心？"严监生这才说："把小妾扶正，只怕家族里有人说闲话。"两位秀才拍着胸脯说："妹夫，你明天再出几两银子，就说是我们兄弟俩拿的银子，备办十几桌酒席，将三朋四友都请过来。趁妹妹还活着时，你和赵氏拜天地，将她立为正室，看谁还再敢放屁？"严监生觉得这主意不错，就又拿出五十两银子来交给他们，两位喜形于色地走了。

三天之后，王德、王仁兄弟俩果然请来严家的众多亲戚前来观礼。众人吃过早饭，便到王氏床前替她写下遗嘱，两位舅爷也在上面画了字。接着，严监生便和赵氏共拜天地、祖宗。仪式完毕之后，众人便一齐拥进大厅喝酒庆祝。吃到三更时分，奶妈慌忙走进来告诉他说："奶奶断气了！"

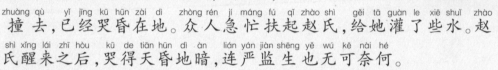

闻听此讯，严监生连忙放下酒杯，跑了过去。只见赵氏正扶着床沿，一头撞去，已经哭昏在地。众人急忙扶起赵氏，给她灌了些水。赵氏醒来之后，哭得天昏地暗，连严监生也无可奈何。

厅内这时也乱成一锅粥，趁着女客们都在堂屋里等着收尸，两个舅奶奶连忙将房屋里的衣服、金银首饰一抢而光。连赵氏刚才拜堂戴的赤金冠子，也被她们拾起来藏在怀里。因为这时衣服、棺材都备好了，所以王氏很快就被抬进棺材。

不觉到了这一年的除夕，整整一个新年，严监生也没有

出去拜年，终日里只是在家哽哽咽咽。过了元宵节后，他忽然觉得心口疼痛，精神恍惚。后来渐渐觉得体力不支，骨瘦如柴，又舍不得花钱买人参吃。赵氏劝他说："你心里不痛快，这家务事就丢开不管吧，还是

身体要紧。"他说："儿子还这么小，这些事情你让我托给谁呢？我在一天就要料理一天！"

自此，严监生的病一天比一天重，毫无好转的迹象。亲戚朋友这时都来问候。严监生看到自己的日子不多了，便把家人召集到一起。晚上，昏黄的灯光下挤满了一屋子的人，严监生此时已病得不能说话了，他的喉咙里只能听见痰响的声音。他呼吸微弱，出气多而进气少。忽然，他挣扎着把手从被单里拿出来，伸着两根指头。大侄子连忙上前问道："二叔！你莫不是还有两个亲人未曾见面？"他把两眼睁得溜圆，把头摇了摇。这时，二侄子走上前来问道："二叔！莫不是还有两笔银子在哪里，不曾吩咐清楚？"他听了这话，两眼闭着摇头，仍然竖着两根指头。这时，赵氏忙擦擦眼泪，分开众人，走上前说："老爷！别人说的都不相干，只有我知道你的意思！"众人都竖起耳朵，不知道赵氏有什么重要的事情要说出来。

"爷，你是为那灯盏里点的是两茎灯草，怕浪费了油，我现在挑掉一根就是了。"说罢，赵氏忙过去挑掉了一根。等到众人再看严监生时，只见他点了一下头，把手垂下，登时就没了气。

fàn jìn zhòng jǔ
范进中举

广东新任科举主考官周进走马上任后，决心严肃考纪，为朝廷选拔一些有真才实学的人。

这天正逢生员考试，周进威风凛凛地端坐在堂上点名发卷，最后点到一名叫范进的童生。只见他形容憔悴，胡须花白，头上戴着一顶破毡帽，十二月还穿着一件单衣，浑身冻得哆哆嗦嗦。周进料想此人与自己过去的境遇差不多，怜悯之情顿时油然而生。

周进问范进：“你多大年纪？考过多少次？”范进跪下说：“名单上是三十岁，实际年纪是五十四。二十岁考起，现已考过二十多次。”周进又问：“那为什么总是考不上？”范进惶恐地回答说：“可能因为我的文字很荒谬，各位主考官都不赏识。”周进微笑说：“这也不尽然。你先去考试吧，考完后卷子留待本官细细地看。”范进听后叩了个头，下去了。

凑巧范进第一个交卷。周进仔仔细细地看了一遍后，不禁十分懊恼，他想：“这么多年，难怪他考不上，这卷

子上都写些什么东西呀!"于是，便把卷子丢在一边不看了。他等了一会儿，不见有人交卷，又想："可怜他这么多年的辛苦，但凡有一线希望，应该成全他才是。我何不把他的卷子再看一遍呢?"

奇怪的是，当他看第二遍时，觉得文章写得有些意思;再看第三遍时，不觉叹息道："他的文章读起来很深奥，连我看一两遍都不能理解，直到第三遍，才觉得这是人世间最好的文章。可见世上的糊涂考官，不知埋没了多少英才。"于是，他取过红笔细细圈点，并在卷面上画了三个圈，将范进录为第一名。

到了成绩公布的日子，范进的姓名果然排在第一。考中的童生一齐来拜见周进，周进特别对范进赞扬了一番。第二天，周进起程回京复命，范进独自送到三十里以外。周进把他叫到轿前，嘱咐他一定要参加明年的乡试，因为他的文字火候已到。范进听罢，又是磕头，又是感谢，直到周进的轿子和人马消失在他的视线中，他才转身回家。

范进回家向母亲和妻子胡氏报喜，全家人都欢喜不尽。正在这时，他的丈人胡屠户拎了一副大肠和一瓶烧酒进来，没好气地说："我算倒了霉，把女儿嫁了你这个现世宝、穷鬼，这么多年连我一起受累!如今也不知我积了什么德，让你中了个相公，所以我拿瓶酒来祝贺祝贺!"

范进连连点头称是，忙叫妻子把大肠拿去洗洗。胡屠户又说：“你既然中了相公，身份已经不同，但千万不能在我的同行面前装大，他们可 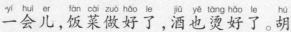 都是你的长辈。至于那些平民百姓，也千万不要和他们平起平坐……”范进低头应声道：“岳父教导得对。”

一会儿，饭菜做好了，酒也烫好了。胡屠户一边吃着饭，一边不停地叹气说：“我女儿自从进了你家门这么多年，连猪油也没吃过两三回，真是可怜，可怜！”就这样，一家四口人一直吃到日落西山。胡屠户此时已喝得醉醺醺的，见天色已晚，他才横披着衣服，挺着肚子回家去了。

不知不觉到了六月，上回一起考中的人都来约范进去参加乡试。范进没有进城的盘缠，就去找丈人商量，没想到却被丈人骂了个狗血喷头：“不要以为中了个相公，就癞蛤蟆想

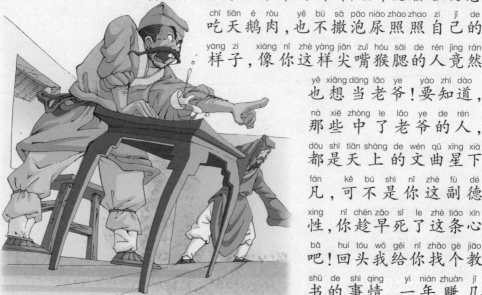

吃天鹅肉，也不撒泡尿照照自己的样子，像你这样尖嘴猴腮的人竟然也想当老爷！要知道，那些中了老爷的人，都是天上的文曲星下凡，可不是你这副德性，你趁早死了这条心吧！回头我给你找个教书的事情，一年赚几

两银子，养活你那老不死的娘和你老婆才是正事！今天借钱给你，叫你去丢在水里，那我一家老小还不得去喝西北风！"

范进一想起周进临行时嘱咐他的话，就怎么也不死心，于是他一咬牙，瞒着丈人，向同科的秀才借了些盘缠，去城里应试。

成绩出来那天，范进家里已经两天揭不开锅了，母亲有气无力地对他说："家里还剩下一只下蛋的母鸡，你快拿到集上去卖了，换点儿米回来煮粥吧！"范进刚走没多久，街上就锣鼓声响，三匹马直奔范进家而来。三人下了马，连声高喊："恭喜范老爷中举了！"范进的母亲一开始不知道发生了什么事，吓得六神无主。后来听说是报喜的，惊魂方定。大家簇拥着老太太要喜钱。老太太无可奈何，只得让一个邻居去集市上把范进找回来。

到了家门口，范进看到家里围着那么多人，就有些信心了。他两脚三步跨进屋里，见喜报也已经挂起来了，上面赫然写着："捷报贵府老爷范进高中广东乡试第七名亚元。"

范进有些不相信自己的眼睛，他看一遍，念一遍，两手一拍，又笑了一声，说："噫！好了！我中了！"话音刚落，他身子往后一倒。众人一看，原来范进牙关紧闭，已经不省人事了。老太太、胡氏这下慌了神，掐人中的掐人中，灌开水的灌开水。

过了好一会儿，范进才悠悠地醒过来，众人正要向他贺喜，他爬起来推开众人，高喊着"噫！好了！我中了！"就往外跑，把满屋的人吓了一跳。众人跟到门外，只见范进正从水塘里挣扎着起来，他浑身湿透，披头散发，一直跑到集市上去了。众人大眼对小眼，都说："原来新贵人欢喜疯了！"老太太哭着说："他早上出去还好好儿的，现在中了一个什么举人，却得了这种病！"众人连忙劝老太太不要慌，然后一起来商量对策。

有个人说："范老爷是因为欢喜过度，被痰迷了心窍。如果把他平时最怕的人找来，打他一个嘴巴，说他并没有中举，他把痰吐出来，人就好了。"

众人听后都齐声说妙。一个邻居说范老爷平时最怕他丈人，应该赶快把他丈人找来。正在议论时，胡屠户拎着七八斤肉、四五吊钱前

来贺喜。老太太向胡屠户哭诉了一番。众人连忙把刚才商议的事说了一遍，胡屠户为难地说："如今他做了老爷，就是天上的星宿。听人说，打了星宿，是要被阎王罚下十八层地狱的。这种事我是不敢做的。"

邻居中有个说话尖酸的人说："胡老爹，你是杀猪出身的，平日里白刀子进、红刀子出，阎王早把你记住了。如今你要是救了你女婿，说不定阎王爷会记你一功，把你提到第十七层地狱上来。"胡屠户没办法，只得答应试试，他连喝了两杯酒壮胆，然后带着凶狠的神情上路了。范母追出来叫道："亲家，你只能吓他一下，不要把他打伤了。"众邻居说："这是自然的事，还用你说吗？"

众人找到集上，见范进正站在一座庙门口，浑身都是泥巴，口里念念有词："噫！好了！我中了！"胡屠户大着胆子，卷起油晃晃的袖子，走到范进跟前，狠狠地打了他一个嘴巴，嘴里骂道："你这个该死的畜生，难道是中了邪么？"

范进被胡屠户一嘴巴打晕了，一头栽倒在地。众人一齐上前，替范进掐人中、捶后背。好一会儿，范进才慢慢苏醒过来，人也不疯了。他看了看众人，问道："我怎么会在这儿呢？"众人便把事情的前后告诉了他。

范进忽然发现丈人也在旁边，怕自己又要挨骂，心里顿时局促不安起来。胡屠户赶紧上前说："贤婿老爷，刚才不是我要打你，全都是老太太的主意，是她让我来劝你的。"一个邻居说："胡老爹，你的手明天不能杀猪了吧？"

胡屠户嘴里像抹了蜜，说："我还用杀什么猪？有了这个好女婿，我后半辈子就再也不用为生活发愁了！记得当年有多少富户要和我攀亲家，我都没有答应。我经常对人说，我这个女婿，无论是才学还是相貌，都是百里挑一的极品！今日果然没错！"

这时，邻居们向别人讨了盆水让范进洗了洗脸。范进这才将头发挽了个结，跟着众邻居回去。一路上，胡屠户尽夸自己好眼力，挑了个好女婿，又说他女儿福气好，到了三十多岁，到底嫁了个老爷。

142

到了家门口，胡屠户大喊："老爷回府了！"里面的人一齐迎出来，老太太见儿子不疯了，高兴得不得了。这时，一个穿着体面的管家，手拿一张大红帖子跑进屋，高叫："张老爷特来拜访新中举的范老爷。"话音刚落，张老爷的轿子就停在了大门口。

这张老爷就是前科举人张静斋，曾任过这里的知县。范进将他迎进屋内，分宾主坐下。张静斋先说了些仰慕的话，又取出一包银子作为贺礼，还要把他在东门大街上的几间房送给范进。范进不好意思推却，只得收下银子，张老爷这才告辞而去。

张静斋走后，范进叫妻子把红包打开，竟是一封封雪白的细丝锭子。范进取出两锭，递给胡屠户："刚才让老爹费心拿了五千钱来。这六两多银子，老爹拿去用吧。"胡屠户把银子捏得紧紧的，口里却说："我原本是来祝贺你的，怎么好又拿回去呢？也罢，你如今结识了张老爷，以后还愁没钱用？"说罢，胡屠户笑眯眯地走了。

自此以后，有许多人来巴结范进：有送田产的，有送店铺的，还有些破落户来投靠范进做奴仆。张静斋又催着范进搬家，范进忙得不亦乐乎。

不到一个月，范进搬进了新居，过起了贵族老爷式的生活。

到了第四天，老太太吃过点心，来到房廊，见到丫鬟们洗刷碗筷，忙吩咐说："你们要细心点儿，这些都是人家的东西，不要弄坏了！"丫鬟们听后一齐笑了，说："老太太，这哪里是别人的！连我们这些人和这房子都是您老人家的。"老太太听了，把细瓷碗盘和银镶的筷子逐个看了一遍，乐得哈哈大笑。笑着笑着，忽然有一口痰涌上来，她往后一倒，昏厥在地，慌得媳妇、丫鬟们忙作一团。

家人连忙回禀老爷，范进请来了大夫。大夫看了看说："老太太这病已经没治了，还是料理后事吧。"见到老母气绝，范进痛哭不已，哭自己命苦。因为按照当时的规矩，他秋天不能进京会试，因而也就失去了做官的机会。

戏弄道士

话说西湖边有一个道观，叫三清观，里面住着一个道士和一个小徒弟。这个道士整天头戴道冠，身披道袍，斜背一把桃木剑，手里还拿一把拂尘，他经常在镇里招摇撞骗，声称能捉妖降怪，还在道观门口挂了一个"捉妖净宅"的牌子。

其实，他哪里会捉妖啊，只是骗吃骗喝而已，有时还花言巧语骗点儿银子。不过，也算他运气好，一直也没有碰到过什么妖怪。

这一天，一个人慌里慌张地跑进道观，说："道长，我们家有了妖怪，主人让我来请您去捉妖呢！"

原来，周财主家后花园里有一栋楼。前两天，一个小丫鬟上楼拿东西，刚上了一半楼梯，就听见楼上房间里好像有人。她吓坏了，跌跌撞撞地跑回来，说楼上有妖怪。周财主哪里相信，就亲自带着几个家人上楼想看个究竟。谁知刚上了一半，一个个骨碌碌都滚下来了，像被人从上面扔下来一样，都摔得鼻青脸肿。

从那以后，再也没人敢上去了。周财主吓坏了，认定是有妖怪。有人出主意说："快去请三清观的老道士来吧。"于是周财主就派人来了。

这一次，果真是一个妖怪。它看中了周财主家那栋楼，就占了来修炼。这老道士哪里知道啊，他以为骗吃骗喝的机会又来了，就满口答应下来，说："好吧！有我在，不管什么妖怪都能捉住！"

老道士穿上最好的道袍，就去周家捉妖。在路上，一个疯和尚走来，一下子把他撞了个趔趄。老道士正要发作，和尚说："你莫要生气，我是去替周家捉妖的。"老道士不知他就是济公，虽然很不服气，却只好和他一起来到周家。

周财主一看道士带着一个和尚来了，以为和尚是道士请来的，急忙把两位迎进屋，好酒好菜地招待他们。周财主对济公很是客气。老道士不服气，对周财主说：

"这和尚是你请的吗？"周财主一听，连连摇头，说："我不认识，他不是跟道爷一起来的吗？"老道士说："我也不认识他，他说是员外请的。"济公说："不用提这个，再喝一盏吧。"周财主一听生气了，说道："原来你是来骗吃骗喝的。"济公说："员外，你错怪我了。我也能捉妖，不信一会儿看看，说不定我还能帮上道长一把呢！"

周财主一听，也就答应了，对道士说："那就有劳仙长了。事成之后，定有重谢。"

老道士一听，眼睛早就乐得眯成了一条缝儿，嘴上却说："我本不需要什么谢礼，只是道观里需要香火钱罢了！"

济公听了，扇着破扇子笑嘻嘻地说："道长何必谦虚呢？那就请道长先捉妖吧！"

那道士看着济公那乞丐样，很瞧不起，又贪着酬金，只好站起身来，整整道袍和道冠，拿上捉妖的工具，要去捉妖。于是，周财主就带着他们来到后花园。家人们听说一个疯和尚要和三清观的老道士比赛捉妖，都过来看热闹。

这道士也不客气，披头散发，画了三道灵符，用桃木剑挑着，嘴里念念有词。

谁知一阵狂风大作，老道士睁眼一看，吓得魂不附体。只见一个青面獠牙的妖怪张开血盆大口，向他直扑过来。道士顿时两眼一闭，昏死过去了。

济公一见，不慌不忙地把破僧帽一扔，一下子就把妖怪罩住了。众人见济公捉住了妖怪，这才醒悟过来，一齐喝彩。

这时大家纷纷围着济公，有人大声喊道："这不是济公活佛吗？"大家仔细一看，果真不错，正是大名鼎鼎的济公活佛。

周财主对济公更是千恩万谢，还要拿银子送给济公，济公哪里肯要。

济公说："我们去看看那道士怎么样了。"只见道士躺在地上，不知是死是活。济公上前，用破扇子朝他扇了一扇，道士登时醒过来。那道士爬起来，满脸羞愧地溜走了。

回到道观里，道士就吩咐小徒弟把门口挂的"捉妖净宅"的牌子给摘了，对徒弟说："如果有人请我捉妖，你就说我上山采药去

了。"小徒弟也不敢问，只好照办。老道士再也不敢出去捉妖了，整天闭门不出，心里老是想着：要是学会济公的法术该多好啊，那就能发大财了。他整天在道观里长吁短叹，有时心情不好了还要责骂小徒弟，小徒弟也不敢吭气儿。

济公想教训一下老道士，这一天就来到了三清观。

小道士一见，就说："我家师父上山采药去了，也不知什么时候能回来。你如果想捉妖，就请别家去吧！"

济公说："我不请捉妖。你进去对里面坐着看书的师父说，老人家来了，他就知道了。"

小道士一见，他竟然知道师父躲在里面看书，真是神奇，连忙跑进去，向师父报告。老道士一听，说："一定是他老人家来了。"出门一看，果然是济公，赶忙行礼，说："您老人家就教教我捉妖的法术吧！"济公说："我有个法术叫搬运法，想要金银，一念咒就有；想要好衣裳好吃的，一念咒就来，你愿意学吗？"老道士一听有这么好的法术，连连点头，说："愿意学！愿意学！"

济公还是摇着头说："还是不能教。不喝酒不吃肉，我没有力气！"老道士连忙吩咐小徒弟出去买肉打酒。就这样，老道士每天磕一千个头，累得腰酸背痛，还得伺候着济公喝酒吃肉。济公呢，每天什么都不管，吃饱了就睡。老道士倒是挺认真，对济公恭敬得不得了，天天磕头。慢慢的，钱都花完了，可是济公什么也没有教给他。

老道士不耐烦了，说："师父，你肉也吃了，酒也喝了，什么时候教我法术啊？"济公说："慢慢来，还没到四十九天呢，急什么！"老道士没有办法，只好让小徒弟把道观里的东西拿出去当了，替济公买酒买肉。后来，值钱的东西都当得差不多了，老道士只好脱下自己的道袍让小徒弟当了。等酒肉买回来后，他穿着短裤毕恭毕敬地请济公吃喝。济公一看差不多了，就问他："怎么样啊，法术练好了吗？"老道士红着脸说："还没有呢！"

济公摇着扇子说："算了吧！天底下哪有那样的法术啊？想骗吃骗喝发大财，这样心术不正是练不成法术的！"老道士一听，满脸通红，倒头就拜，羞愧地说："弟子明白了！弟子明白了！"

济公一看老道士的确醒悟了，就教给他一些捉妖的法术。从此老道士认真学习法术，经常降妖除怪，为老百姓做好事。

mǎ xiù cai qí yù huó shén xiān
马秀才奇遇活神仙

前些天，马二先生为了蘧公孙的事，破了些财，手头也有些紧了。这天，他来到丁仙祠里拜佛求发财签，忽听身后有人叫他。他回头一看，只见那人鹤发童颜，白衣飘飘，活像个神仙。马二先生慌忙上前施礼，那人却道："很奇怪吧！我竟知道你的名字，还知道你想发财。既然遇见我，就不必求签了，跟我一起到寒舍谈谈吧。"马二先生的心事全被他知道了，虽然感到惊奇，但还是不由自主地跟着那仙人走。

不一会儿，他们就来到附近的伍相国殿后。那里有个大花园，园里有栋五层的大牌楼，四面窗子都可眺望江面。那仙人就住在这楼上，他邀请马二先生上楼，施礼坐下。那仙人有四个仆人，都穿着绸缎衣服，上来献茶也是小心翼翼的。

马二好奇地打量着房间，只见墙壁上写着一首七绝诗："南渡年来此地游，而今不比旧风流。湖光山色浑无赖，挥手清吟过十洲。"最后落款是："天台洪憨仙题"。

马二先生懂些历史，知道宋高宗南渡的事，屈指一算，已有三百多年了，而今还在，一定是个神仙，便问道："这佳作是老先生的？"那仙人道："正是。一时高兴而作，见笑了。先生若喜欢诗词，我这儿有不少巡抚、藩台的亲笔，我们来切磋一下。"说完吩咐侍从拿来一部诗集。马二打开一看，诗咏的是西湖美景，立意都比较深刻，装裱得比较精细，看毕由衷地赞叹了一番，然后毕恭毕敬地还给那仙人。

洪憨仙道："先生刻书写卷，收入是很不错的，今天去求发财签，定是遇到不顺的事儿了？"马二说："不怕老仙人笑话：前些日子为朋友的事，将一点积蓄花完了。如今心里有些发愁，就出来散散心，顺便求个签，问问可有发财机会，谁想竟遇上老先生了！"洪憨仙右手摇着手中的蒲扇，左手掐了几下，然后诡秘地说："想发财也不难，但大财须缓一步，先让你发个小财，怎么样？"马二忙说："发财不以大小论！不知道老先生有何妙计？"洪憨仙沉吟了一会，说道："好吧，我今天送些东西给你，你拿回去试试。如果有效，再来取一些，没有用的话就算了。"说完就来到烧香拜佛的供桌前。他向火盆里烧了些纸，然后坐在蒲团上念念有词，过了好一会儿，他猛地向小抽屉上一指，那小抽屉便

152

徐徐打开了，里面出现了一个冒着白色雾气的布包。那仙人缓缓而起，取出布包，并拿出里面的黑东西，递给马二："好了，你将这东西拿回去，放在瓦罐里熬一天，看看有什么出现。"

马二接过之后，立即回家熬制，自己的书也不去写了。第二天下午，他倒出瓦罐里的东西，竟是一锭纹银。马二很是纳闷，一连倾倒了六七罐，竟倒出六七锭大纹银。他喜出望外，当夜就跑到钱店去鉴别，钱店都说是真银子。这下马二可高兴了，他一夜都没有睡好觉。第二天一早，他就带了一些银子，赶到洪憨仙处来致谢。憨仙已迎出门来，笑着说："还行吧?"马二笑嘻嘻地说："仙人果然神奇!"如此这般，告诉憨仙倾出多少纹银。憨仙道："早哩!我这里还有些，先生再拿去试试。"说完又从抽屉里取出一个布包，送给马二先生。马二回家后，一连熬了六七天，才将那些黑东西用完。他称了一下，竟熬出八九十两重的银子。

一天，憨仙来请马二先生。他说："先生，今天有人来拜访我。这人是胡尚书家的公子，他非要我教他这化石成金的本领，我感到很为难。他就想出一万两银子作为熬制银子的费用，让我跟他合伙。唉，成了名人就有许多难缠的事儿!"

153

马二接过话茬："老先生，我可以帮你什么忙呢？"憨仙思索了一会说："这样吧，你在此地也是个有头有脸的人，我和你认做表弟兄，以后胡公子来签约，你做个证人就可以了。切不可误！"马二满口答应。

第二天，胡公子同憨仙述礼已毕，便问起马二先生。憨仙介绍说道："这是我的表弟，各书坊选书的《三科墨程》的作者马纯上先生。"胡公子施礼坐下。他见憨仙器宇轩昂，清风道骨，四个仆人轮流献茶，又有小有名气的亲戚马先生，心里既欢喜又放心。他坐了一盏茶的时间，就约定四五天后来签约，然后推说有事走开了。

一连四天，马二不见憨仙这边有人来请，便过去看望他。一进门，就看见那几个仆人惊慌失措的样子，一问才知道，原来憨仙病得很厉害，大夫说是该准备后事了。马二大吃一惊，来到憨仙的病床前，见他已是奄奄一息，浑身发凉。马二先生心好，就在这里陪伴着，晚上也没回去。等到第二天下午，那憨仙寿数已尽，断气身亡。那四个人慌了手脚，他们将整个房间搜了个底朝天，只有四五件绸缎衣服还值几两银子，其余一无所有，几个箱子都是空的，全部家当还不够买副棺材。有的人急得都快哭起来。马二这才知道：这几个人并非仆人，分别是憨仙的儿子、两个侄儿、一个女婿。马二赶紧回去取了十两银子来，交给他们料理后事。马二问憨仙的女婿："你岳父不是神仙吗？今年活了三百多岁，怎么突然就过世了？"

女婿说："笑话！他老人家今年才六十六岁，哪有三百岁！唉，他老人家，也是个不守本分、惯弄玄虚的人，弄了点钱又乱花掉了，而今落得这样一个下场。不瞒先生你，我们都是买卖人，丢下生意跟着他做这些骗人的事，如今他过世了，害得我们讨饭回乡，这从哪里说起！"

马二说："他不是有不少黑东西，熬出来就是银子了吗？"女婿冷笑着说："那东西本来就是银子！用黑煤糊黑了，再放进瓦罐一熬，银子又重现出来了。那是做出来哄人的，用完就没有了。至于那个抽屉，是个靠热胀冷缩做成的机关。"

"还有一件事：他若不是神仙，在丁仙祠初见我的时候，怎知道我的名字？"女婿说："那天你坐在书店看书，有人曾问你贵姓，这事恰被岳父撞见了，也就知道了。世间哪来的神仙！"

马二这才恍然大悟：原来他结交我是来骗胡公子的，幸亏胡家运气好。又想道：不过他还没亏待过我，我到底该感激他。想到这儿，他又拿出十两银子，一部分作为埋葬憨仙之用，剩余的留着给他们做回家的路费。从此，马二先生专心致志于写书，再也不做异想天开的发财梦了。

促织

促织就是蛐蛐儿。明朝宣德年，皇宫里风行斗蛐蛐儿，朝廷每年向百姓征收蛐蛐儿。蛐蛐儿本不是生活在陕西，华阴县的县官为了讨好上司，献上了一头善斗的蛐蛐儿，上司因此下令让华阴县按时供应蛐蛐儿。县官又把这项差事下派给里长们，狡猾的里长把这事摊派到各家各户，老百姓真是苦不堪言。

县里有个叫成名的书生，为人老实内向，不善言语，考了几次秀才都没中。狡猾的公差看他好欺负，把他的名字报上去充当里长。成名费了很大力气也推不掉这个差使。不到一年的时间，他就受牵连把为数不多的田产赔光了。

这次又赶上征蛐蛐儿，他不敢向各户摊派收缴，家里又没有钱财赔偿，忧闷想死。

他的妻子安慰他说："死了又能怎么样呢？不如自己去捉蛐蛐儿，也许能捉到呢！"成名觉得这未尝不是个办法。从此，他起早贪黑，手提竹筒和铜丝笼子，在荒草破墙中探石洞，掏土缝，用尽了所有办法，还是无济于事。偶尔捉到三两只蛐蛐儿，却又品种不佳，不符合标准。县官定下最后期限，用刑追逼，成名在十几天里，被打了一百板子，两条大腿脓血直流，不能下床捉蛐蛐儿了。

他躺在床上翻来覆去，真想一死了之。

刚巧这时村里来了个驼背神婆，可以为人请神算卦。成名的妻子前去问卦，只见男女老少把院子都挤满了。她走进神婆的房间，把钱放在香案上，和别人一样想着自己的心事，烧香跪拜。大约过了一顿饭工夫，帘子动了，有片纸飘落到地上。成名的妻子捡起来一看，是一幅画，上面画着一座寺庙，寺庙后面的小山下有很多奇形怪状的石头，荆棘丛中，一头上品"青麻头"的蛐蛐儿趴在那儿，旁边有一只就要跳起来的蛤蟆。她看不太懂，可是看到画面上有蛐蛐儿，正合自己的心事，就把画折起来，拿回去给成名看。

成名思来想去：这难道是指给我捕捉蛐蛐儿的地方吗？他仔细看着画上的方位，发现和村东头的大佛阁有些相像。成名挣扎着下床，拄着拐棍，拿着画，来到大佛阁的后面。那里有座草木茂盛的古坟，顺着坟走过去，看到有一些石头，简直和画上的一模一样。他蹲在草丛里侧耳细听，又悄悄前行，费尽了眼神耳力，却连蛐蛐儿的影子也没发现。

成名仍在用心搜索着，突然，一只蛤蟆跳过去。成名惊奇极了，连忙追赶，蛤蟆钻进草丛里去了。成名悄悄跟上，分开枯草寻找，看见一个蛐蛐儿趴在荆棘根上。成名心急，往上一扑，蛐蛐儿钻进石洞里去了。他拾起一根细草，探入石洞，蛐蛐儿却不肯出来。他又用竹筒里的水往石洞浇灌，一只俊秀健壮的蛐蛐儿爬出来了。成名追上去，把它捉住了。他细细观察，发现这只蛐蛐儿大大的身体，细长的尾，脖颈青紫，翅膀金黄。成名很高兴，将它放在笼子里，带回家。全家人喜笑颜开，把蛐蛐儿当做最金贵的物件，放在盆里供养起来，留着到了期限好交给官差。

成名有个才九岁的儿子，看到父亲走出家门，偷着掀开盆盖。蛐蛐儿一下子蹦了出来，快得没法捉住。等小孩捉在手里的时候，蛐蛐儿的大腿掉了一条，肚子也裂了，没过多长时间就死了。小孩吓哭了，拿着死蛐蛐儿去找妈妈。成名的妻子顿时脸色苍白，又惊又怕地骂道："等你爹回来，还不要你的命！"

小孩吓得哭着走了。

一会儿，成名回家了，听到妻子说的事情，顿时浑身冰凉。他去找儿子算账，可儿子却不知道到哪儿去了，怎么也找不到。最后，他们终于在一口井里找到儿子的尸体。这回，刚才的怒气一下转成了悲伤，夫妻二人呼天抢地，哭得快要昏死过去。

突然，他们发现儿子还有轻微的喘息，心里暗自高兴，于是把孩子带回家，放到床上。等到半夜，儿子活了过来，夫妻二人才觉得好受一点。可是孩子看上去神志不清，没有活力，只想睡觉。

太阳老高的时候，成名还躺在床上发愁。忽然，门外传来蛐蛐儿的叫声。成名惊讶地下床察看，原来那只蛐蛐儿还活着。他心里高兴，上前捕捉，蛐蛐儿叫了一声，蹦跑了。成名往前一扑，用手捂住，觉得空空的什么也没有。他刚抬起巴掌，蛐蛐儿又一下子跳开了。成名追过墙角，却怎么也找不见。

他来回走着，到处寻找，看到有只蛐蛐儿趴在墙壁上。他走过去细细观看，那只蛐蛐儿黑红色，又短又小，根本不是原来那只。成名觉得这是个下等品，就不去捉它，接着仔细寻找刚才那只。墙上那只小蛐蛐儿忽然一下子跳到成名的衣袖上。成名又凑近观看，只见这只蛐蛐儿有双长腿，翅膀上有梅花的图案，棺材似的脑袋，看上去像个好品种。成名暗自高兴，把它收养起来，准备献给县官。但是他又担心这只蛐蛐儿不善斗，想找一只蛐蛐儿比试一下，看看它的本事。

村里有个少年养了一只叫"蟹壳青"的蛐蛐儿，每天和村里的蛐蛐儿斗，没有输过。这个少年直接找到成名，看到他养的蛐蛐儿不禁捂嘴暗笑。他拿出自己的蛐蛐儿来，放到比斗专用的笼子里。小蛐蛐儿像个傻子似的趴着不动，少年大笑起来。他试着用猪毛撩拨小蛐蛐儿的触须，它还是呆若木鸡。少年又大笑，不停地撩拨。小蛐蛐儿终于发威了，鼓动翅膀，张开双尾，挺直触须，大声鸣叫着直冲过来。少年突然看到，小蛐蛐儿死咬住"蟹壳青"的脖子。少年不禁大惊失色，急忙把它们拽开，停止战斗。

就在大家在一起看着两只蛐蛐儿的时候，院中有只鸡走过来，去啄那只小蛐蛐儿。成名吓得惊慌喊叫起来，还好没有啄中。小蛐蛐儿跳出两尺多远，鸡又接着追赶，小蛐蛐儿眼看就完了。成名不知道该怎么办，只是使劲跺脚。接下来，他们看到那只鸡伸长脖子，昂起头，扑棱翅膀。原来那只小蛐蛐儿趴在鸡冠子

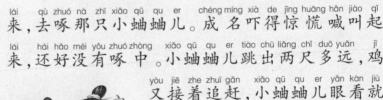

上，死咬不放。成名更加惊讶，暗自欢喜地把它放在笼子里。

几天以后，成名把小蛐蛐儿送给县官。县官一见这个小家伙，把成名训斥一顿。成名告诉县官这个小蛐蛐儿的特殊本领。县官找来其他蛐蛐儿比试，结果真的如成名所说。县官给成名一定奖赏，把小蛐蛐儿进献给了山西巡抚。巡抚把小蛐蛐儿放在金丝笼子里，写了奏文叙述小蛐蛐儿的本事，把它献给皇帝。

在皇宫里，小蛐蛐儿与全国进贡的各种上等品种蛐蛐儿进行比试，没有一个能斗得过它。更让人惊奇的是，每次听到音乐声，小蛐蛐儿还会和着节拍跳舞。皇帝高兴极了，赏赐给山西巡抚名贵马匹和绸缎。巡抚回来之后又提拔县官，县官也高兴了，下令免去成名的苦差使，又跟考试官打好招呼，让成名考上秀才。一年以后，成名的儿子精神才恢复过来，他说自己变成了善于打斗的蛐蛐儿，现在才清醒。

niè xiǎo qiàn
聂小倩

zhè jiāng shěng yǒu gè jiào níng cǎi chén de rén wéi rén
浙江省有个叫宁采臣的人，为人

zhàng yì háo shuǎng pǐn xíng duān zhèng zhè tiān tā jìn jīng
仗义豪爽，品行端正。这天，他进京

gǎn kǎo zǒu dào jīn huá de běi mén kàn dào tiān sè jiāng
赶考，走到金华的北门，看到天色将

wǎn qián miàn yǒu gè sì miào yú shì xiè xià xíng li zǒu le jìn qù zhǐ jiàn sì miào li de jiàn zhù
晚，前面有个寺庙，于是卸下行李走了进去。只见寺庙里的建筑

hóng wěi zhuàng lì kě shì yuàn zhōng yě cǎo què mào shèng de bǐ rén hái gāo kàn shàng qù hěn duō nián
宏伟壮丽，可是院中野草却茂盛得比人还高，看上去很多年

méi yǒu rén lái guo dà diàn dōng jiǎo yǒu gè shuǐ chí yě hé huā yǐ jīng kāi fàng fēi cháng yōu jìng
没有人来过。大殿东角有个水池，野荷花已经开放，非常幽静。

dāng shí chéng li jù jí hěn duō gǎn kǎo de xué sheng fáng jià áng guì níng shēng yú shì xiǎng zhù zài
当时城里聚集很多赶考的学生，房价昂贵，宁生于是想住在

zhè li tā kàn dào nán miàn yǒu yí gè xiǎo fáng mén suǒ shì xīn huàn de yǐ wéi zhù de shì gè hé
这里。他看到南面有一个小房，门锁是新换的，以为住的是个和

shang yú shì zài yuàn zhōng sàn bù děng zhe tā huí lái
尚，于是在院中散步，等着他回来。

tiān kuài hēi de shí hou lái le yí gè shū shēng mú yàng de rén dǎ
天快黑的时候，来了一个书生模样的人，打

kāi le nán miàn xiǎo fáng de mén níng cǎi chén gǎn máng zǒu qù jiàn lǐ shuō qīng
开了南面小房的门。宁采臣赶忙走去见礼，说清

zì jǐ de yì tú nà rén shuō dào zhè er méi yǒu fáng zhǔ wǒ hé nǐ
自己的意图。那人说道："这儿没有房主，我和你

yí yàng yě shì jì sù zài cǐ nín bù xián zhè li lěng qīng jiù zhù xià ba
一样，也是寄宿在此，您不嫌这里冷清就住下吧！

zǎo wǎn yě hǎo qǐng jiào xué wen níng shēng gǎn dào gāo xìng lì jí nòng xiē
早晚也好请教学问。"宁生感到高兴，立即弄些

dào cǎo dàng chuáng zhī shàng mù bǎn dàng zhuō zi zhù le xià lái dàng yè
稻草当床，支上木板当桌子，住了下来。当夜

yuè guāng rú shuǐ liǎng gè rén zuò zài láng yán xià miàn xiāng hù zì wǒ jiè
月光如水，两个人坐在廊檐下面，相互自我介

shào yuán lái nà rén jiào yàn qīng xiá shǎn xī rén shuō huà fēi cháng pǔ shí
绍。原来那人叫燕青霞，陕西人，说话非常朴实

真诚。没过多久，两人拱手告别，各自回房睡觉了。

宁生由于新来这里，不能很快入睡。他忽然听到北院传来轻轻的说话声，好像有人居住。他趴在北墙的窗户下面，往里窥视。只见墙外有个小院，有个四十多岁的妇女正和一个衣饰华丽的老太婆在月光下聊天。妇女说道："她没向姥姥发怨言吗？"老太太说："话倒没说什么，只是看起来不太高兴！"妇女说道："这丫头是得严加管教了。"这时，一个十七八岁的女子走来，在夜色里显得很美。老太婆笑着说："我俩幸亏没说你的坏话，正念叨你，你就来了。"老太婆又说道，"看看，真像画里的人！我还好不是男的，不然也让你勾去魂了！"女子说："姥姥要是不夸奖我，还有谁肯说我好呢？"后来，中年女人和女子悄悄地不知道在说些什么。宁生猜想也许是邻居的内眷，于是回屋睡下。过了一会儿，一切归于平静。

宁生迷糊着要睡着了，突然感觉到有人进入房间，忙坐起观看，原来是刚才见到的那个北院的年轻女子。他惊讶地问她来做什么。

女子微笑着说："月夜无眠，特来陪伴公子。"宁生神色严肃地说："你该提防别人的闲话，我害怕公众议论，走错一步，就廉耻丧尽了！"

女子说："夜深人静，没人看见。"

163

宁生训斥她，见她不肯走，似乎有话要说，宁生高声吓唬她："你快走，否则我就去喊南屋那个燕青霞，让他知道你来这里。"女子露出慌张的神色，走出门去，一会儿又回来，拿出一锭黄金放在他的床前。宁生抓起金子丢到外面的院子里，说："我不能让不义之财弄脏我的口袋！"

女子羞愧地捡起金子，小声说："真是个心如铁石的男人啊！"

第二天上午，兰溪生带着一个仆人住进了东厢房里，到了夜里突然死去了。他的足心有个像锥子扎的小洞，还在往外流血。第二天夜里，仆人也死了，症状和兰溪生一样。到了晚上，燕生回来，宁采臣问他怎么回事，燕生说是让鬼迷了。宁生一向正直，没有把这话放在心上。半夜，那女子又来到宁生的房间，对他说："你是我见到的最正直刚强的男人了，我不敢骗你，我叫聂小倩，十八岁时死了，家里人把我埋在寺庙旁边。妖精逼迫我干的事，都是我不情愿的。现在这庙里没有能杀害的人了，恐怕他们明晚就会派夜叉来找你了。"

宁采臣有些害怕，请她想个办法，躲过此劫。女子说："你只有和燕生在一起，才可避免灾难。""为何不去迷惑燕生？"小倩说："他是个剑客，身边带着武器，不敢接近。"宁生又问她是用什么办法迷惑人的，女子说道："谁要是对我动心，我就暗中用锥子刺他的脚，很快他就没有知觉了。我把他的血吸出来

供给妖怪喝。不动女色的就用黄金诱惑,那不是金子,那是恶鬼的头,如果谁留下金子,他的心肝就会被挖掉。"

宁生惊出一身冷汗,急忙对她表示感谢。女子走时流出泪水,说道:"先生,你刚直义气,必能救我出苦海。假如你能把我的骨头包起来,回去埋在一个安静的地方,你就是我的再生父母了。"宁生答应下来,问她的墓在哪里,女子说:"白杨树上有乌鸦窝的坟就是了。"说完就没有踪影了。

第二天,宁生怕燕生出去,早早置办了酒菜,就去邀请他喝酒。谈话时,宁生请他来同住,燕生推说自己喜好安静。宁生不理睬他的话,硬是把他的被褥拿到自己房间里来。燕生无奈之下,只好过来。他嘱咐道:"我佩服你的为人,可是有些话我不能明说,希望你不要翻看我的行李包裹,否则对你我都不利。"宁生应允下来,各自睡下了。燕生拿出个箱子放在窗台上,接着便鼾声如雷了,宁生却怎么也睡不着。

等到一更天,窗户外面隐约有人影儿,接着影子贴近窗户向里窥视,发出灯一样的亮光。宁生吓坏了,正要喊燕生,突然有个东西冲出窗台的箱子,如同一道耀眼的白光,碰断窗上的石棂,猛烈地射出,又迅速收回箱子里。

燕生惊醒了，宁采臣假装熟睡偷着观看。只见燕生从箱子里拿出一个透明铮亮的东西，对着月亮看着，又闻闻它的味道。那东西估计有二寸长，韭菜叶那样宽。接着，他又将那东西仔细包裹起来，重新放入破旧的箱子里。燕生自言自语道："胆大包天的老妖精，竟然把箱子弄坏了！"说完又接着睡了。宁生惊讶地起身问他，把刚才所见都说了出来。

燕生说："实不相瞒，我是个剑客，要不是碰到窗上的石棂，妖精可能就被杀死了。即使这样，它肯定也受了伤。"宁生问他包裹里是什么，燕生说："是剑，我刚才闻到上面有妖气。"

天亮了，他们看见了窗子外面的血迹。宁生走出大门，来到寺院的北面，看见一片野坟地，他找到了那个有乌鸦窝的白杨树。他把坟里的枯骨包在包裹里，打理行装准备回家。燕生为他饯行，临别时把一个破皮袋送给他，说："这个是剑袋，留着也许以后会用得到，可以降妖避邪。"

宁生的书房邻近荒野。他挖了坟将女子葬在书房的不远处，焚香祷告道："把你这可怜的鬼魂葬在我的旁边，以便互相能听见歌声和哭声。"等他往家走的时候，忽然听到后面有人喊道："贵人慢走，请等一等。"他回头一看，是聂小倩。她又高兴又感激地说："谢谢你救了我，我愿意为你当牛做马，只要能陪在你身边，无论做什么都愿意。"宁生的妻子已经病死，看着她白里透红的脸颊，宁生从心里喜欢，于是把聂小倩领回家里。

日子过得很快。一天，小倩忽然感到心里惶恐不安，她问宁生："那个剑客送的皮袋子在什么地方？你把它拿来挂在床头吧。"宁生追问原因，小倩说："最近三天，我心里一直忐忑不安，我想可能是金华那个老妖精恨我远远跑掉，也许这几天就会追到这里。"

宁生把破皮袋取来，第二天，小倩又让宁生把破皮袋挂到门上。当天夜里，小倩嘱咐宁生不要睡觉，观察周围的动静。突然，窗外有个怪物，像飞鸟一样降落下来。宁生细看，那家伙像夜叉的形状，双目如灯，张牙舞爪地走过来。走到门前，它停下脚步，慢慢走到破皮袋前面，伸出爪子摘下来，想要撕破。这时，皮袋突然嘎巴一响，猛然膨胀起来，好像有个鬼怪伸出半个身体，一下将夜叉抓入皮袋里面。瞬间，一切声音都没了，皮袋也缩回原样。两人一起观看皮袋，发现里面只有几碗清水罢了。

167

láo shān dào shi
劳山道士

县里有个王七，出生在官宦人家，从小就喜欢道教的法术。他听人说劳山有许多神通广大的神仙，于是急忙背上书箱前去寻访。

他走了很远的山路，终于登上一座山头。只见前方有个道院，非常幽静。院中一个道士正坐在蒲团上，白发披肩，神采飞扬，看上去仙风道骨，不同凡响。王七拜见以后，坐下与他交谈。老道士的言语字字珠玑，蕴含很深的哲理。王七相见恨晚，请求拜老者为师。老道士说道："怕你懒惰娇气，吃不了苦，白白浪费光阴啊！"王七的回答干脆极了："我不怕吃苦！"

黄昏的时候，老道士的很多徒弟都集合在一起，王七向他们一一见过礼，这样，他被留在道院里学习。一大早，老道士叫醒王七，递给他一把斧头，让他跟其他徒弟一起去砍柴割草，他恭敬地去了。

这样连续干了一个月以后，王七的手脚都磨出了厚厚的一层老茧，他心中暗自叫苦，萌生了回家的想法。

这天傍晚，他回到院里，看见有两个客人和师父一起喝酒。天慢慢黑了，也没点起灯烛。师父剪了一张圆纸，把它像镜子一样贴在墙上。过了一会儿，那张圆纸竟然越来越亮了，像一轮满月，照亮屋子，地上有一根针都可以看见。老道士的徒弟们也都来了，围在一旁观看。

其中一个客人说道："如此美景明月，我们该及时快乐才是！让徒弟们也一起享受吧！"说着拿起桌上的酒壶，给每个徒弟倒上一杯酒，嘱咐他们尽情畅饮。王七心中暗想，一壶酒如何够七八个人分呢？徒弟们争着找来盛酒的东西，惟恐壶中的酒分到自己的时候没有了。可是斟了一圈又一圈，壶里的酒还在源源不断地流出来，王七惊讶极了。喝了一会儿，那个客人说道："这么明朗的月光，我们就这样喝闷酒，岂不是太煞风景？为何不呼唤嫦娥前来作陪呢？"师父把一只筷子扔到那轮纸做的月亮里面，接着有一个美女轻轻地从月光里走出来，开始没有一尺高，等落到地上，就和真人一般大小了。

她舒展细腰，手舞纱带，飘忽着跳起了舞蹈，嘴里轻轻地唱道："仙仙乎，尔还乎，而幽我于广寒乎！"歌声悠扬清脆，余音绕梁不绝。美女唱完，又飞舞飘起，落到桌子上。正当大伙惊奇之时，美女又变成一只筷子，师父和客人一起笑了起来。

另一个客人说道:"今晚特别高兴,可是酒不能再喝了,还是到月宫里为我饮酒送行吧!"话音刚落,三个人和酒席都开始移动了,慢慢进到墙上的月亮里去了。徒弟们看到师父和客人正在月亮里饮酒,就像人们在镜子里的影子一样,眉毛胡子都看得清楚。

过了一段时间,月色暗淡下来,徒弟们点上蜡烛,看到师父独自坐着,两个客人都没了踪影。桌子上还留有菜肴和果核。再看墙上的明月,只不过是一张镜子般的圆纸片罢了。老道士问道:"酒喝够了没有?"众徒弟齐声回答:"够了!""那就早些睡觉,别耽误明天砍柴割草!"徒弟们答应着退了下去。王七心里十分羡慕师父的法术,打消了回家的念头。

时间又过了一个月,王七实在害怕了每天艰苦的劳作,而且这段时间师父从来没有传授他一点法术,他等不及了。于是,他向师父告辞道:"徒弟不远百里来向师父学道,即使没有学到什么长生不老的秘方,但如果能学到一点小法术,求知的心愿也可以得到一些安慰和满足。可是现在过去两三个月了,每天都是早上砍柴,晚上回来,徒弟在家时,还从来没有受过这样的苦役。"老道士笑着说:"我说过你吃不了这样的苦,现在果然如此。你主意已定,我

明天早上就可以打发你上路了。"

王七说道:"徒弟干了这么久苦工,师父若能教会我一点小法术,也算没白来啊!"老道士问道:"你想学什么呢?""我常常看到师父能够穿墙而过,要是能学会这个法术,我就满足了。"道士答应了,接着开始传授王七秘诀,让他自己念动咒语。等他念完,道士喊道:"进墙去!"王七面对墙壁,怕撞到墙上,不敢往前走。道士接着喊道:"试着往墙里走!"王七慢步前进,到了墙前被挡住了。道士说道:"低下头勇敢往墙里走,不要犹豫。"王七离开墙几步远,低头猛跑,到了墙壁,如同空空的没有一物,回过头看,发现自己果然已经在墙外面了。王七兴奋地回来拜谢师父,师父教育道:"你回去要端正自己的行为,否则法术就不灵了。"他给了王七一些盘缠费用,让他回去了。

王七回到家里,逢人便夸自己遇到了神仙,即使再坚硬的墙也阻挡不住自己。他的妻子不相信他的鬼话,王七就按照师父教给他的做法,离墙几尺远,低头猛跑过去,他的头撞到墙上,跌倒了。妻子把他扶起来,看到他的头上鼓起鸡蛋样的大包,不禁把他嘲笑一顿。王七羞愧难当,大骂老道士心眼太坏了。

dào huǒ de pǔ luó mǐ xiū sī
盗火的普罗米修斯

天地创造之初，大海波浪起伏，拍击着海岸。大地上动物成群，只是缺少着一个能够主宰周围世界的高级生物。这时，普罗米修斯降生了。他是神的后代，知道天神的种子埋藏在泥土中，于是就捧起泥土，用河水把它沾湿、调和，又依照神的模样，做成人形。为了赋予泥人以生命，他从动物的灵魂中抽取了善、恶两种性格，将它们封入人的内心。在天神中，他有一个女友，即智慧女神雅典娜。她朝这些泥人吹了一口神气，使它们获得了灵性。

后来，普罗米修斯总是尽力帮助他所创造的人类。他让他们观察日月星辰的运行；在人类发明数字和文字时给予灵感；教他们驾驭牲口；他还发明了船和帆，使人类能够在海上航行……总之，他充当着人类的老师，凡是对人有用的，能够使人类满意和幸福的，他都教给他们。

后来，普罗米修斯作为人类的庇护者触犯了宙斯。作为对他的惩罚，宙斯拒绝给予人类走向文明所必需的物品——火。可是，普罗米修斯却想了个办法，他用一根长长的茴香枝，在烈焰熊熊的太阳车经过时，偷到火种带给了人类。

人类自从有了火之后，便不再害怕寒冷和黑夜，不再担心野兽的侵扰。宙斯看到了这一切，决意要惩罚普罗米修斯。

他派人将普罗米修斯带到高加索山，用一条结实的铁链把他绑在陡峭的悬崖上，让他永远不能入睡，双膝永远不能弯曲，忍受着饥饿、风吹和日晒。除此之外，宙斯在他的胸膛上还钉了一颗金刚石的钉子，并派一只神鹰每天去啄食普罗米修斯的肝脏，但被吃掉的肝脏随即又长了出来。就这样，日复一日，年复一年。

在经历了漫长的岁月以后，有一天，希腊英雄赫拉克勒斯来到了这里。他看到恶鹰正在啄食可怜的普罗米修斯的肝脏，便取出弓箭，把那只残忍的恶鹰从这位苦难者的肝脏旁射落。然后，他松开锁链，放了普罗米修斯，带他离开了山崖。但为了满足宙斯的条件，赫拉克勒斯把半人半马的基戎作为替身留在了悬崖上。基戎虽然可以永生，但为了解救普罗米修斯，他甘愿献出自己的生命。为了彻底执行宙斯的判决，普罗米修斯必须永远戴着一只铁环，环上镶着一块高加索山上的石子。这样，宙斯就可以自豪地宣称，他的仇敌仍然被锁在高加索山的悬崖上。

shī kòng de tài yáng jīn chē
失控的太阳金车

在古希腊神话中，太阳神阿波罗每天都要驾着由四匹神马拉着的太阳金车四处巡行，把光明和温暖带给全世界。

阿波罗有个生活在人间的小儿子法厄同，他很为父亲的威风而骄傲，常在小伙伴面前夸耀。可别的孩子都不相信他的话，反而嘲笑他。法厄同一气之下赶到父亲的宫殿，恳求太阳神让他驾驶一天金车，以让世人相信他的确是阿波罗的儿子。

法厄同得意扬扬地驾着金车飞上了天空。哪知那几匹神马狂烈无比，它们一看驾驭自己的人换了，潜藏在身上的野性就开始复苏，法厄同很快就驾驭不住了。结果金车偏离轨道，一大片美丽的森林顷刻间变成了撒哈拉大沙漠。宙斯震怒了，于是用雷电将法厄同击出了太阳金车。不自量力的法厄同就像流星一样，一头栽进了一条大河。阿波罗见状赶紧收回了这辆神车。

事后，宙斯念及法厄同的年幼无知，便答应阿波罗的请求，把他升到天上。后人也常常把不听劝告、不自量力的人比作法厄同。

yī kǎ luò sī de là yì
伊卡洛斯的蜡翼

伊卡洛斯是雅典最伟大的艺术家代达罗斯的儿子，由于强烈的嫉妒心在作怪，代达罗斯杀死了富有艺术天才的外甥塔罗斯。当事情败露后，父子俩逃到了克里特岛。

后来，岛上的国王看中了他们的才能，就阻止他们离开。万般无奈之下，代达罗斯决定从天空逃走，于是，他领着伊卡洛斯收集了许多羽毛，每片羽毛的末端又被涂上了一层蜡，最后做成了两对巨大的翅膀。临飞前，代达罗斯告诫儿子一定要在太阳和大海中间飞行，而且要紧紧跟着他。一切安排妥当之后，他们便像鸟儿一样张开翅膀，飞向了蓝天。起初，伊卡洛斯牢记着父亲的话，心里丝毫不敢松懈，但到了后来，他的胆子渐渐大起来，飞得越来越高。灼热的阳光开始融化他翅膀上的蜡，羽毛纷纷散落下来。他拼命地挥动着双臂，并且呼喊着父亲，但已经无济于事。最后，他掉进了大海中，被汹涌的海浪所吞没。

175

贪婪的弥达斯国王

一天，酒神狄俄尼索斯的老师失踪了。后来，弥达斯国王千方百计找到了他，把他送到了酒神那里。作为回报，酒神答应为他实现一桩愿望。这时，弥达斯说出了他心中期待已久的愿望：凡是自己所接触的东西，都能够变成黄金。

于是，酒神答应了他的要求。在回去的路上，弥达斯想试试自己刚刚获得的法力。他拾起了一块石头，那石头变成了金子。见此情景，弥达斯越发高兴起来。可是糟糕的事随即发生了！在他洗手时，脸盆里的水变成了金水；他饿了，拿起一块面包，面包也变成了金子，甚至连葡萄酒也变为了金汁。这时，他才意识到自己的这个愿望是多么愚蠢！此时，他对自己的贪婪感到后悔了！后来，酒神看到他可怜巴巴的样子，顿时起了怜悯之心。他让弥达斯将头伸进帕克托罗斯泉水中冲洗三次，这样就能冲洗掉他的罪孽。经过这次教训，虽然弥达斯国王再也不看重金钱了，但他的故事还是让人想起了贪婪，他也成了贪婪的代名词。

jiāo ào de ní é bǎi
骄傲的尼俄柏

忒拜王后尼俄柏拥有着许多值得骄傲的东西，但最让她骄傲的还是她的十四个孩子。这七个英俊的儿子和七个美丽的女儿给了她真正的欢乐。她甚至向人们夸耀说，自己是世界上最幸福的妻子和母亲。但是这种高傲，导致了她最终的毁灭。

一天，她不让忒拜城的妇女去祭拜女神勒托和她的子女阿波罗及阿耳忒弥斯，并对这些神进行了嘲讽和污辱。女神勒托听后十分愤怒，于是命令阿波罗兄妹前去复仇。后来，阿波罗射杀了尼俄柏七个正在骑马和打闹的儿子，尼俄柏的七个女儿也成了阿耳忒弥斯复仇的牺牲品。傲慢的尼俄柏只能孤零零地坐在孩子们的坟墓中间。由于悲痛过度，她的身体开始僵硬，美丽的容颜渐渐失去了往日的光彩，血液停止了流动，整个身体也变成了一块石头，只有一双木然的眼睛还在不停地流着眼泪。

潘多拉魔盒

为了惩罚盗取火种的普罗米修斯，宙斯想出了一个恶毒的办法。他命令火神赫淮斯托斯造出了一名美丽的少女，又让神使把一些迷惑人心的语言技巧馈赠给这名少女，还让爱情女神赋予她迷人的魅力。这个少女就是潘多拉，意为"被赐予一切的女人"。

临行前，宙斯交给潘多拉一个盒子，里面是各位天神送的许多对人类有害的礼物。然后，潘多拉来到人间，捧着那个盒子去找普罗米修斯的弟弟。这个蠢笨的人虽曾得到过哥哥的警告，不让他接受来自宙斯的礼物，但他被潘多拉美丽的容貌和动听的语言所迷惑，毫无戒备地接过了盒子。就在这时，潘多拉打开了盒子，藏在里面的各种灾害飞了出来。它们无声无息，无踪无形，眨眼间的工夫就布满了整个大地。只是盒子底部还留着惟一一件美好的东西，那就是希望！可希望还没来得及飞出来，潘多拉就按照宙斯的命令关上了盒盖。从此，各种疾病和灾难就来到了人间，它们悄然而至。后来，"潘多拉魔盒"就成了各种疾病和灾难的代名词。

引发战争的金苹果

古希腊时期的特洛伊战争，其导火索竟是一只美丽而充满诱惑的金苹果。当初，英雄阿喀琉斯的父母——国王珀琉斯同海中女神忒提斯结婚，邀请了所有的神来参加他们的婚礼，惟独没有邀请争吵女神厄里斯。厄里斯受到了怠慢，决心报复。她暗中把一只金苹果扔在客人们中间，上面写道："送给最美丽的女人。"当时，天后赫拉、智慧女神雅典娜、爱神阿佛洛狄忒都认为自己应该得到这只苹果，于是几个人开始争执。后来，宙斯让三位女神去请特洛伊国的王子帕里斯来裁决。为了得到金苹果，三位女神使尽浑身解数，以获得帕里斯的好感。

最后，帕里斯决定把金苹果判给阿佛洛狄忒。糟糕的是，阿佛洛狄忒决定给帕里斯做爱人的那个最美的女人是斯巴达国的王后海伦。本来，这对夫妇生活得非常幸福，但帕里斯去斯巴达做客后，却在阿佛洛狄忒的帮助下，劝诱了海伦同他私奔，把她带到了特洛伊城。这样就引发了特洛伊战争。

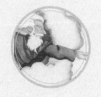

上帝创造世界
shàng dì chuàng zào shì jiè

在很久很久以前，我们的世界什么也没有。于是，上帝耶和华出现了，他总共用了七天时间，就创造了我们现在的天地万物。

第一天，耶和华把世界分成两半，其中的一半升上天空，另一半落在脚下，就这样，上帝创造了天和地。那时候，世界上没有黑暗和光明，只有黑糊糊的泥土。耶和华说："这不行，得有光！"于是，光就出现了。上帝见了很高兴，为把光明和黑暗区别开来，就把光明叫做白天，把黑暗叫做夜晚。后来啊，他还让光明和黑暗交替出现，也就是白天和黑夜轮流出现。

第二天，上帝耶和华把水分成两部分：一部分留在地上，另一部分以云和水的状态留在天上，中间的部分就是空气。这样，上帝就创造了空气和水。

第三天，上帝耶和华说："陆地应当浮出水面。"霎时间，群山就露出了水面。接着，上帝耶和华皱皱眉头又说："光秃秃的，真难看！大地应该拥有孕育种子的植物，开花结果的树木。"大地顿时绿

草遍布，草木葱茏。

第四天，上帝耶和华又说："天上还要布满星星，以划分年月、昼夜和季节。白天由太阳主宰，夜晚是休息的时间，只有月亮才能照亮那些晚上赶路的人，让他们找到安歇的地方。夜晚就交给月亮来主管吧。"于是，天上就有了太阳、月亮和星星。

很快，第五天到了，耶和华看着自己创造出来的世界还是不满意，他创造出比房子还要大的鲸鱼和各种小鱼，还有各类大小鸟雀，让它们在水中、空中和地面自由快乐地生活着，尽情享受上帝的恩赐。就这样，每当夜晚来临时，鸟雀就把头钻到翅膀之下入眠，而鱼儿呢，就潜入深海之中……

到了第六天的时候，耶和华又创造了各种各样的野兽、牲畜、昆虫。好家伙！大地上一下子热闹起来了，到处都是鸟儿们、虫儿们唱歌的声音。耶和华看到这些，非常高兴，只见他随手抓起一把泥土，按照自己的模样捏了一个人，并让人有了生命，由人来管理这世界。这个人是个男人，他名叫亚当。

第七天，上帝耶和华望着自己所创造的一切，觉得非常完美，就坐在地上想："我也累了，该歇息一下了。"后来，信仰上帝的人为了感谢他的大恩大德，就在每个星期的最后一天向上帝做"礼拜"。这一天就是我们所说的礼拜天。

yà dāng hé xià wá
亚当和夏娃

上帝用了七天时间创造了天地万物。到第八天，上帝耶和华让亚当看守他新创造的花园——伊甸园，管理这里的一草一木。上帝还把他所创造的各种飞禽走兽让亚当给它们起名字。这样一来，每一种动物都有了自己的名字。园里的动物都成双成对的，只有亚当孤单一个人。很快，上帝知道了他的心思，就从亚当身上取下一根肋骨，造出了一个女人，为她取名叫夏娃。从此，亚当与夏娃在伊甸园里过着无忧无虑的生活。

有一天，他们来到一棵大树前，上帝耶和华对他们说："听着，我告诉你们一件很重要的事情：园中所有树上的果实你们都可以尽情地吃，但这一棵分辨善恶的智慧树果实不能吃，不然将受到惩罚。"亚当和夏娃听了牢记在心。没多久，亚当睡着了，但夏娃却睡不着，到处游逛。突然草中传出声音，夏娃仔细一看，原来是一条老蛇。那时候，人类能听懂动物的语言，所以蛇告诉夏娃说，它偷听到了耶和华的话，如果她把此话当真，那就太傻了。夏娃信以为真，当蛇把智慧树上的果实递给她时，她就吃了几口，等亚当醒来时，就把剩下的给他吃了。

亚当和夏娃偷吃了禁果之后，眼睛立刻就明亮了，他们为自己的赤身裸体而羞愧。于是开始寻找遮身的东西。他们采摘几片叶子，用藤条穿起来，编成裙子系在腰间。

一天，上帝耶和华来到伊甸园，呼唤亚当和夏娃。躲在树后的亚当和夏娃听到上帝连呼几声，这才颤颤巍巍探出头回答说："我们听见了您的呼唤，我们很害怕，因为我们赤身裸体，所以才躲藏在大树后面。"上帝明白了这是怎么一回事，非常生气，立刻叫来蛇，大声骂道："你做这样的事，必然遭到比其他野兽更多的诅咒，你必须用肚子走路，终生吃土。"然后，上帝又对夏娃说："我要加重你怀胎生育的痛苦，并让你的丈夫永远管住你。"上帝对亚当说："你不听我的话，我要惩罚你。你必须一辈子在土地上劳作，从土中寻求食物，才能养活一家人，你本是尘土，死后也应回到土里去。"

上帝耶和华把亚当和夏娃赶出了伊甸园。上帝用皮子做了两件衣服让他们穿上。亚当和夏娃非常后悔，但也只好离开伊甸园，去外面耕种土地为生。

神奇的诺亚方舟

自从亚当和夏娃偷吃了禁果以后，人类的寿命就开始变得非常短。人类经过长时间繁衍生息，人口慢慢增多，出现了不少坏人坏事。

看到这一切，耶和华开始后悔自己创造了人类。

于是，耶和华打算把眼前所创造的生物统统消灭掉，然后再重新创造。当时，有一个好人叫诺亚，为人虔诚，非常正直。耶和华认为，如果人类要重新开始的话，诺亚是一个最好的祖先。于是，耶和华决定毁灭世界上所有的人类，只留下诺亚一家。他告诉诺亚，用松柏建造一艘巨大的方舟！

诺亚听了上帝的话，十分害怕，恳求上帝再给人类一次改过的机会。耶和华却说："已经没有了，因为我给过他们无数次机会，他们却不知道改正，所以我们必须用洪水淹没一切！"

实在没有办法了，诺亚和他忠实的工人们不分白天黑夜忙着造船。他们砍下大棵大棵的柏树做船的龙骨，在船舷涂上沥青使船舱保持干燥，又用厚木板造了屋顶，以遮挡暴雨。第七天的傍晚，诺亚和他的家人上了船。就在半夜，天空开始下雨，连续下了四十天。洪水淹没了整个地球，大地到处都是水，没有一片陆地。然而，诺亚一家和他方舟上的所有动物却在这场可怕的暴雨后幸存了下来。然后，上帝耶和华又发了慈悲之心。于是，狂风吹散了乌云，大地上重新有了阳光。

诺亚小心地打开窗户向外张望。他的船安稳地漂浮在看不到边的汪洋之中，看不到陆地。诺亚放出一只乌鸦，它飞回来了。然后，他又放出一只鸽子，它比任何鸟都飞得远，但这可怜的鸽子找不到树枝栖息，它又飞回方舟。

一个星期之后，诺亚又把鸽子放出去，到了傍晚，鸽子飞回来，嘴里衔着一片新鲜的橄榄树叶，这表示洪水已经渐渐消退了，已经有树露出了水面。又过了一个星期，诺亚第三次放出鸽子，它没有回来，这是个好兆头。不久，方舟就在今天称为亚美尼亚的亚拉腊山顶登陆了。

第二天，诺亚上岸，立即宰杀动物，搭建祭坛。看啊！明朗的天空出现了一条美丽的巨大彩虹，这是上帝耶和华给忠实的诺亚的立约信号，答应给他们未来的幸福。从此以后，诺亚一家人成了农民和牧人，恢复了原来的平静生活。

tǎn tǎ luó sī de mó nàn

坦塔罗斯的磨难

坦塔罗斯是众神之王宙斯的儿子，他成了众神的宠儿。由于大家一贯地纵容他，让他养成了傲慢无礼的性格。有一次，他为了试探众神是否真的无所不知，竟杀死了自己的亲生儿子，用他的肉来招待众神。

这一次，灾难终于降临到他的头上。事情败露后，众神把他关进了地狱，让他在那里忍受三种痛苦。第一种痛苦是站在池塘中央忍受灼热的烧烤。清澈的池水没过他的脖颈，当他想弯下腰张开干裂的嘴唇喝水时，水就立刻退了下去。第二种痛苦，他必须忍受饥饿的煎熬。他身后的池塘边长着许多果树，上面挂满了果实。可一旦他伸手去摘时，一阵大风就会将这些果实刮到云端。第三种痛苦是面对死神的恐惧：一块巨大的岩石被悬挂在他的头顶晃来晃去，随时都有掉下来把他砸死的可能。而且，面对这三重痛苦，谁也无法解救他，因为他怀疑和讽刺天神的无所不知，亵渎了众神的恩宠。

奥革阿斯的牛圈

奥革阿斯是古希腊时期厄利斯的一位国王，他有着一个庞大的牛群。依照古老的习惯，他把宫殿前面的空地围起来，将所有的牛都圈在里面。天长日久，三千头牛的粪便堆积如山。

后来，欧律斯透斯为了羞辱希腊英雄赫拉克勒斯，就让他去清扫奥革阿斯的牛圈，并且这份工作要在一天之内完成，而这几乎是不可能的。

聪明的赫拉克勒斯却想出了一个好办法。他走到牛圈地势高的一边拔掉了篱笆，又在地上挖了一条沟，引来附近的河水，让河水从牛圈的一边流进去，再从另一边流出来。很快，他就完成了这件屈辱性的工作，既没有弄脏自己的衣服，又没有损害自己的名声。

牛圈是清扫干净了，但"奥革阿斯的牛圈"却永远成了藏污纳垢之地的代名词。

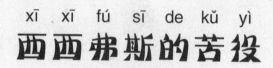

西西弗斯的苦役

西西弗斯原是科林斯城的一位国王，他为人奸诈狡猾。当时，宙斯拐走了河神漂亮的女儿埃癸娜。为了寻找女儿，河神向西西弗斯打听女儿的下落。但是，这位国王却借机勒索河神。在条件得到满足后，他说出了埃癸娜的所在。

由于自己的秘密被泄露，宙斯大为愤怒，决定要惩治西西弗斯。在战神阿瑞斯的帮助下，死神塔那托斯捉住了西西弗斯，并把他投进了地狱。但狡诈的西西弗斯请求地狱之王哈得斯允许自己回到人间。哈得斯同意了他的请求。在回到阳间后，西西弗斯死活不肯再回地府了。最后，死神又一次捉住了他，并用严厉的方式报复了他的欺诈行为——让他必须将一块巨石推到山上。但是，当他费尽九牛二虎之力把巨石快要推到山顶时，石头又滚落下来，他不得不重新往上推，就这样周而复始，永无休止。后来，人们就把费力而没有结果的工作称为"西西弗斯的工作"，意思是功亏一篑或者劳而无功。

普洛克儒斯忒斯的床

在古希腊神话中，普洛克儒斯忒斯是一个凶狠的拦路大盗。他之所以被人们称为"铁床匪"，是因为他有两张铁床，一张床很短，另一张很长。

普洛克儒斯忒斯总是强迫过路的人躺在他的床上。如果床比人长，他就用一把大钳子夹住对方的四肢使劲儿往外拉，这样就拉断了对方的筋骨；如果床比人短，他就用刀砍掉对方的双脚。

由于普洛克儒斯忒斯的穷凶极恶，希腊英雄忒修斯与他搏斗后捉住了他，也用同样的方式惩罚了他——把他按在那张短床上，用刀砍掉了他的双腿，让他在痛苦中慢慢死去。

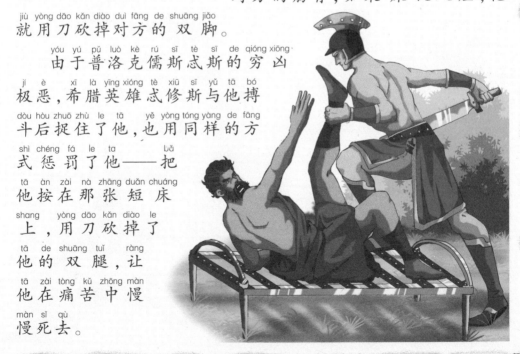

阿喀琉斯的脚后跟

阿喀琉斯是海神忒提斯的儿子，也是古希腊时期最有名的英雄，他的名声可与前辈英雄赫拉克勒斯相比。当他还是个婴儿时，忒提斯曾把他放到冥河的水里浸泡过，这使得他的全身都刀枪不入，只有脚后跟例外，因为当时忒提斯的手就抓着这个脚后跟，所以这一部位没有受到冥河水的洗浴。

在特洛伊战争中，有个预言家断言，没有阿喀琉斯，希腊人就攻不下特洛伊城。果然，战场上的阿喀琉斯英勇无比，所向披靡，表现出超人的力量，但他的猖狂和傲慢却激怒了特洛伊城的庇护神阿波罗。阿波罗知道阿喀琉斯这个惟一的弱点，因此，他隐藏在一团浓密的云雾中，拉开他的神弓，只一箭，就射中了阿喀琉斯最容易受伤的脚后跟。不可战胜的阿喀琉斯最后像一座被人从下面挖空了的巨塔一样，"轰隆"一声倒下了，震得大地轰然作响。后来，"阿喀琉斯的脚后跟"就成了某人最致命弱点的代名词。

离不开大地母亲的巨人

在古希腊神话里，英雄安泰是海神波塞冬和地母该亚所生的儿子，也是一个强大的巨人和角力能手。只要他的身体不离开大地母亲的怀抱，就会拥有无穷的力量，就能够所向披靡。

凡是经过利比亚的过路人，都必须和安泰格斗，条件是如果他们输了，就得付诸一死。事实上，他们全部被打败了。

有一次，勇士赫拉克勒斯在同安泰格斗的时候，用尽全身力气，结果发现要打败他几乎是不可能的，因为他每次倒地，起来时都能获得新的力量。赫拉克勒斯把他打倒了三次后，发现了他恢复力量的秘密，于是就用强有力的手臂设法把他高高举起，在空中掐死了他。

塑造中国孩子一生的

365夜
故事大王

责任编辑：蓝敏玉

文字编辑：黄双红

美术编辑：罗筱玲

装帧设计：夏 鹏 孙阳阳

改　编：任 昊 伍 文 田 雨

　　　　钱 浩 范松义 韩亚红

　　　　燕 子 赵新平 王阳光

　　　　纪康保

绘　图：刘振君 画童卡通工作室

　　　　save工作室 王 艋 杨 磊

　　　　鑫焱工作室 刘振君 张 龙

　　　　颜培宏